佐伯千仭著

戰爭と犯罪社會學

書肆 有斐閣

はしがき

戰爭の犯罪社會學——嚴格にいへば戰時及び戰後の犯罪社會學的研究は、刑事學の講義を擔當することとなつて以來私の最も關心をもつた刑事學的テーマの一つであつた。それは恰も同じ頃から我國の突入して行つた戰爭一本の現實により觸發せられたものであることは爭へないが、他方又戰爭といふものが自然科學と異つて實驗といふことの困難な社會現象に於て珍らしく大がかりな一種の實驗を意味するといふ事實が私の理論的關心を刺戟してゐたことにもよるのである。

就中、前の第一次世界大戰に於ける人類の痛切な諸經驗は、我々に多くの問題を提供し、幾多の暗示を與へてゐるやうに思はれた。特にヱックスナーの戰爭の各段階と犯罪の推移に關する一般論はひしひしと身にこたへるものがあつた。勤勞動員で忙しい學生諸君と一緒に、暇を見てはそのヱックスナーの理論を謄寫版刷りで讀んだりしたのも、單に若い人達の語學力を維持させる爲めばかりではなく、同時に又社會現象としての犯罪の動きに對する理解力を與へる上に多少とも役立たうかと考へたからである。本書の草稿も元來そのやうな雰圍氣の中で「法學論叢」誌上に掲載するつもりで執筆せられたものであつて、その前半は既に校正まで終つてゐたのであるが、出版事情の困難は遂にその發行を不可能にして了つた。加ふるに昨年八月には我國の無條件降服となり、私はまた私で同年暮頃から病床に臥す身となつたので、自然その舊稿を發表しようとする氣持もなくなつてゐたのである。

然し今年の四月私の病もやゝ快方に向ふやうに思はれた頃、たまたま醫學部のN博士が見舞つて吳れていろいろ世間話をする裡に、話はいつか戰後の社會的頽廢、就中犯罪現象の增加に及んで行つた。N氏は、一體、それは一時的現象に過ぎないものであるかどうか、それは我國だけの現象なのか・それとも敗戰國ではどこにも見られる現象であるか、又更にそれが一時的現象であるとしても何らかの社會的な後遺症狀を殘さないであらうかどうか等について、眞劍な憂慮を抱いてゐるのであつた。――だが考へて見れば、このやうな憂慮は何も一N氏だけの憂慮でないことは明かである。かう考へた私は、N氏の辭去後急に本書を世に贈らうと決意するに至つた。それは本書のやうなものでも、祖國の正しき再建に何らかの役に立つかも知れぬと自惚れたからである。

そこで床中に臥した儘、若い友人達の助力を得て舊稿を整理し、更に冒頭と終末には若干の修正又は補足を附加した結果、どうにか本書を編上げることができた。これらの友人の慫慂と暖い援助がなかつたならば、本書は到底日の目を見ることはなかつたであらう。本書は私が享けたこれらの友人達の深い友情に捧げられなければならぬ。

× × × × ×

エックスナーは、先きにも一寸擧げた第一次大戰に於ける同じテーマを扱つたその有名な著書を次のやうな言葉で結んでゐる。曰く「これぞ世界大戰の刑事學的決算である。將來責任ある地位に立つて戰爭か平和かの運命的重大問題を決定する人は、願くばその決斷に際してこの決算を肝に銘じ、戰爭の犧牲たるや單に生命財産上のそれのみでなく道義面に於ける犧牲も亦甚大なることを十分考慮した上で行動して欲しいものである」と。まことにその通りである。我國では今次戰爭前までは電車の中などで屢々「かう不景氣ではやり切れない。ひとつ景氣直しに戰爭でも始まらんかな」といふやうな會話を聞かされたものであるが、今こそこれらの會話の主人公達もそのやうな考へ方が如何に無責任且危險なものであるかを骨身にこたへて思ひ知つたことであらう。我新憲法は右のエックスナーの言葉に更に一歩を進めて、將來の立國の方針として軍備と戰爭の拋棄とを宣言しようとしてゐる。願くばこの宣言をして眞に人類社會に於ける永久平和への第一歩たらしめんことを。

昭和二十一年八月三日

著者

目次

第一章　問題の提出

一　現在日本の社會は明暗二つの相反する面をもつてゐる。而も差當り人々の心をより强くとらへてゐるのはその暗い面であらう。これを端的に示すものは新聞雜誌上の惡質犯罪激増に關する幾多の論議である。然し、犯罪現象は戰時中から既にその幾多の新しい形態――經濟犯罪、野荒しその他食料不安にからまる犯罪、少年犯罪等々――によつて世人の注意を惹いてゐたのであつて、現在はそれが敗戰後の社會的困難に拍車せられ、集團强盜の横行とか闇市場の公然たる開場或ひは賭博や賣淫の街頭進出といふやうな姿に於て一層深刻且憂慮すべき形相を呈するに至つた迄である。このことたるや現在の如く一方では極度の食料難、住宅難及び失業難がインフレーションの進行と相俟つて大衆生活を著しく困難ならしめ、他面では警察その他の秩序維持機構が甚だしく弱體化してゐる狀態にあつてはむしろ事物當然のなり行きといふべきである。

然し世間にはこの事態を更に絶望的な見地から眺めてゐる人々がある。彼等は單に犯罪といはず現在社會生活の全面に見られる道義の混亂と人心の頽廢を以て單なる一時的現象に止るのでなく、むしろ我々日本人が民族的に有する素質的又は性格的な缺陷を曝露せるものに外ならずとなし、ひいて我國の將來までも絕望視するのである。讀者は時折りかかる絕望的な言葉を耳にしないであらうか。史上稀れに見る徹底的敗北を喫した後の我國民にとつて假借なき民族性の自己批判は誠に不可缺であらう。確かに戰時中から戰爭後にかけて我々は民族としての幾多の弱點を曝露して來た。例へば合理精神の不足、理論と實踐の游離、自由と責任についての無知、社會性の缺如といふ如くそれは誠に根深いものがある。右の思惟傾向が單にこのことを指摘するのだけならば、それは誠に正當であるし、戰時中の謂はれなき思ひ上りに對比し幾分爽快ですらある。然し人々が我々のもつそれらの缺點をば何か改め難き謂はば宿命的、素質的なもののやうに考へて絕望的にならうとするならばそれは問題だといはねばならぬ。蓋しそれでは今後の平和なる新生日本に向つての逞しい建設的意欲などは出て來ようがないからである。

我々はこの際と雖も希望を失つてはならぬ。だがその希望には根據がなければならぬ。我々はそれを現に浸々として進行してゐる一聯の政治的、經濟的、社會的諸解放の中に見るのである。先づ言論集會結社の自由は一切の舊制度に對する徹底的な檢討を許容すると共に、共產黨にも合法政黨としての存在を與へた。その他二十歲以上の男女の參政權獲得、財閥の解體、土地制度の改革、勞働立法の促進、更に軍隊の消滅と呼應する憲法草案の戰爭拋棄の宣言等は全てを新規撤直しに始めようと踏出した日本の第一步である。實は前記の食料問題や失業難等、住宅難もこれらの諸改革を徹底することによつて始めて打開せらるゝのであつて、彼と此とは決して風馬牛相關せざるものではないのである。どちらを見ても暗い現在の日本に於て明るい面とてはこれをおいて外にはないのであるが、右のやうに日本人の民族性に絕望する立場からはこれら一切の營みも空しいことにならう。然し茲ではかかる一般論が問題なのではない。私はむしろ右の悲觀論を、その直接の動機となつた犯罪現象に關する理解の仕方について批評したいと思ふだけである。

私の考へによれば、現在の犯罪現象は右の悲觀論のいふやうに我々の民族性により規定せられてゐるといふよりも、むしろ戰爭、特に敗戰の齎らした社會的經濟的な環境の動搖激變によつて規定せらるる点大なりと解しなければならぬ。どの民族でも同じやうなきびしい條件の下にあつては同じやうな狀態を呈するものなのだ。その證據には二十數年前の第一次大戰に敗れ今日の我國と同樣な社會狀態に陷つた獨墺兩國でも今日の我國と頗る似通つた犯罪現象に惱まされたが、然しその犯罪の波はその社會的混亂、就中經濟的混亂が鎭まると同時に引いて行つたのである。否單に獨墺の戰敗國だけではない。戰禍に卷込まれた他の交戰國や中立國も同じだつたのであるる。かう見て來ると、我々は現前の我國の犯罪現象に立向ふ前に、これらの過去に於ける諸國の經驗を檢討することによつて「戰爭と犯罪」の關係について一つの社會科學的な一般理論を準備しておくことが頗る有益であるやうに思はれる。――本書はかかる方向に向つて一つの資料を提供しようとするものである。

二　戰爭と犯罪の關係についての從來ありふれた問題の提起は、戰爭は一體犯罪を增加させるものであるか、それとも反對に減少せしめるものであるかといふやうな一般的形態に於てなされるそれである。さうして從來現れた諸學者のこの問題についての見解は大體に於て二つの相反する陣營に分類できるやうに思はれる。

その一方は佛蘭西の社會學者にして且刑事學者たるタルドにより代表せられた見解であつて、戰爭を以て犯罪氾濫の原因であると考へるものである。タルドによると「戰爭のやうに道德を紊すものは稀れである。(Rien de plus immoralisant que la guerre.)」彼は歷史から種々の例をとりつつ戰爭が常に犯罪の物凄い增加を惹起するものであることを證明しようとしてゐる。例へばメロヴィンガー戰爭の結果は「流血的犯罪の非常な流行と極惡非道な兄弟殺しや親殺しの――敎會史家も別段それに眉をひそめたり驚いたりしたやうな風も見えぬ程の――日常茶飯事化並びに强姦、掠奪、不誠實の氾濫であつた。かかる災厄が一時に起るのが亂れた時代の特徵なのである。伊太利のルネツサンスも同じやうな狀態を呈した」し、更に百年戰爭の結果も、宗敎戰爭の結果も同樣であつたと主張するのである（註一）。

このおそらく最も常識的な見解に對し眞正面から反對するのが第二の見解であつて、例へばシュタルケの主張がそれである。彼はプロシヤの一八六四年、一八六六年、一八七七年に於ける各戰爭について研究した結果、戰爭は犯罪を增加せしめるどころか反對に減少せしめるものであるといふ結論に到達したのである。彼によると一八六四年の對デンマーク戰爭は極めて短期間だつた爲め犯罪に對する影響も目立つて現れなかつたが、六六年の對墺戰爭ではその影響は頗る顯著であつた。卽ちこの歲は經濟界は不景氣で穀物は不作であつたし、更にコレラ病さへ流行する有樣で犯罪を增加せしむべき事情が揃つてゐたにも拘らず、國家に對する犯罪も人身犯も財產犯も一齊に著しき減少を示した。更に七十年の普佛戰爭に於てはこの犯罪減少は一層著しく、その減少率は動員のために生じた國內人口の減少率より遙に大であつた。シュタルケはかかる犯罪減少の原因の第一は國民全體に漲る祖國愛の熱情、戰爭のまき起した國民的感激であつたと說いてゐる。さうしてこのことは獨逸と同じく國民感情に滿されてゐた相手國の佛蘭西でも犯罪が同樣に減少したことからも明かであるとされるのである(註一)。

シュタルケの研究は近代の事象に對する統計的實證的研究であつて第一の見解より遙かに措信し得べきものたることは明かである。然しその結論を借り來つて我當面の問題を解決しようとしてもそれは不可能である。何となれば彼の研究した戰爭は今次戰爭に較ぶれば何れも極めて短期間で終了してゐるのであつて、今次のそれの如き長期戰にあつては戰爭による國民的感激の持續力にも自ら限界があることを考慮しなければならぬからである。むしろ我々は上にも述べたやうに前の第一次世界大戰に於て歐洲の諸國が經驗した犯罪現象の動きをじつくり學んでおく必要がある。といふのは前大戰と今次の戰爭との間には例へば航空機や電波兵器の極度の發達による大規模の無差別爆擊の可能性、それが惹起する大都市の疎開强行の如き罪因的に見ても重大な意味をもつ事情の相違があるにも拘らず、戰時社會生活の諸相に於て極めて著しい共通性が見出されるからである。特に兩者共に長期戰であり、總力戰であり、經濟戰、封鎖戰であるといふやうなことは――この最後の點が刑事學的には特に重要であるが――それらの齎らす犯罪現象にまで極めて著しい類似性をもたせて來るやうに思はれるのである。更に重要なことは前大戰中の犯罪現象については頗る詳細な研究が幾つか殘されてゐることであつて、それらを讀むと、二十數年前の遠い歐洲での出來事であるにも拘らず、具體的な犯罪の形態や手口等についても、屢々それが我國の現前の事態を活寫したものではないかといふやうな錯覺に襲はれる程なのである。——私はこの第一次世界大戰に於ける刑事學的經驗の中から、長期に亙る總力戰と犯罪との關係を考へる上に於ける一般的圖式とも稱し得べきものを見出し得るやうに思ふ。本書は主としてそれを——但し常に今日の我國の狀態を念頭におきつつ——描かうとするものである。

以下の研究に於て主に參考したものはエツクスナー「墺太利に於ける戰爭と犯罪」（Exner, Krieg und Kriminalität in Österreich, 1927）、同じくリープマンの「獨逸に於ける戰爭と犯罪」（Liepmann, Krieg und Kriminalität in Deutschland, 1630）——何れも「世界戰爭の經濟及び社會史」叢書に含まれてゐる——並びにヨーカスの「歐洲戰爭の犯罪に對する影響」（Yocas, L'influence de la guerre Européenne sur la criminalité, 1926）の三者である。この中前の二つは共に敗戰國に於ける戰時犯罪の研究であり、後者は戰勝國に於ける同じ問題の研究である。その他中立國の狀態について一二の論文を參照したが、右の三著書も亦それぞれ他の交戰國並びに中立國の犯罪狀態について簡單に觸れてゐる。更に英國については近頃マンハイムの研究が出てゐるやうであるが（註三）、入手できない爲めに遺憾乍ら參照することができなかつた。

註一　Tarde, G. La criminalité comparée, P. 22, 2e édition.
註二　Starke, Verbrechen und Verbrecher in Preussen 1854-1878. 1884.
註三　Mannheim, Social aspects of crime in England between the war, 1940; War and crime, 1941.
――ちなみにいふが、右のエックスナーの著書については公文彪氏の、リープマンの著書については小川太郎氏の譯がそれぞれ司法資料第二六七號及び第二四五號（後日本評論社の法學叢書の一となる）として出てゐる。

三　なほついでに我々の考察の範圍、對象、方法等について限定しておかう。

（一）戰爭と犯罪の關係は如何なる時期に亘つて考究せらるべきか。戰爭と犯罪といふと一寸狹義の戰爭、卽ち武力的な鬪爭が繼續せられてゐる期間だけについて考察すれば足りるやうに見えるが、實はそれでは不十分であつて、重點はむしろ戰爭終了後の數年間にあるといはねばならぬ。戰爭中にも少年犯罪や婦人犯罪の增加の如き憂慮すべき現象が現はれて來るけれども、敵を眼前に控えてゐるといふ國民精神の緊張と官憲の實力の優勢とはそれをある程度以下に抑制してゐるのである。然し戰爭が終ると共に――特に敗戰國にあつては――國內秩序はたがの外れた桶のやうにゆるんで、今まで抑へられてゐた一切の罪因的事情は奔放なる活動を始め、ある意味では戰爭中に積み重ねられて來た一切の矛盾と無理とが總決算を求めて犯罪その他の現象を充溢させるのである。怖るべきは戰時中の犯罪そのものであるよりむしろ戰後に起るこの犯罪の氾濫である。以下の研究で戰後の犯罪現象に大きな注意が拂はれるのもその爲めである。

(二) 我々の考察の對象をなす戰時犯罪(Kriegskriminalität)は單に戰時又は戰後に行はれたる一切の犯罪(Kriminalität in der Kriegszeit)を指すものではない。それはむしろ戰爭により始めて惹起せられ若くはその態樣に變化を蒙つた犯罪を指す。即ちそれは戰爭——嚴格にいへば戰爭の伴ふ社會的經濟的變化——と因果的に關聯してゐるところの犯罪現象である。この戰時犯罪を學者は直接的戰時犯罪(direkte Kriegskriminalität)と間接的戰時犯罪(indirekte Kriegskriminalität)とに區別する。前者、即ち直接的戰時犯罪とは平和時代にはそれに對應する現象を見出し得ない戰時特有の犯罪現象で、戰時の特殊な要求に基いて發せられる戰時諸立法の違反がこれである。だが、我々の以下の考察の主たる對象をなすものはそれではない。我々はむしろ殺人、竊盜、詐欺、風俗犯等の普通刑法犯が戰爭により如何なる影響を受けたか——どんな新しい態樣をとるに至り、質的量的にどう變化したか——に對して主たる注意を向け、直接的戰時犯罪としては經濟犯罪だけに考察を限定したいと思ふ。

(三) 我々にとつて大切なことは戰時犯罪現象の正確な把握並びにその因果的説明である。然るに犯罪の如き社會現象の認識については統計の利用が絶對に必要である。ところが恰もこの統計が戰時に於ては、(1)動員等による激しき人口構成の移動、(2)警察及び檢察機關の人手不足、無力化　或ひは一般民衆の犯罪に對する關心の變化等に基く檢擧率の低下、(3)立法の頻繁なる變更と訴訟手續の動搖等々によつて現象を眞にあるが儘に再現し難くせられてゐるのである。故にその利用には特に細心の注意が必要であつて、學者がそれを補正し若くはその數字の意味するところを明瞭ならしめる爲に、それと併せて屢々典型的な具體的事例を引用することが多いのは當然である。かくの如き統計利用による大量觀察と典型的事例の個別的研究との併用は我々の問題にあつては特に有效であるといはねばならぬ。――前記の我々の參考書はどれも豐富に統計的數字を驅使し以てその所論を理由づけようとしてゐる。だが我々の以下の研究に於てはそれらと反對にできるだけ數字の羅列を省略することにしたいと考へる。これは一つには紙數の節約といふことより要求されるのであるが、更に本稿の目的が前大戰の刑事學的經驗をその普遍的意義に於てとらへ、且それをできるだけ明瞭な形で――多少圖式的になることを敢てしても――示すといふことにある點よりしても肯定せらるるところであらうと思ふ。數字はそれが讀者に論旨を確實に理解せしめるに不可缺であり、而もわづらはしくないやうな最少の限度にその使用を制限せられるであらう。

四 かくて本書の構成は、まづ戰爭の影響の最も深刻にして且研究も一番徹底して行はれた獨逸、墺太利の兩敗戰國についてやや詳細なる檢討を試み、ついで英佛その他の戰勝國や中立國に於ける現象を眺め、その相互の異同を明かにすることに努力する。更に最後の章に於て私は先きのペシミストが提出した民族性の問題について簡單に觸れて見たい。蓋し戰時犯罪の問題が主に社會的、經濟的環境の問題であるとしても、民族性も亦少くとも從屬的な意義を發揮してゐるかも知れないからである。――だが我々にとつての結局の問題は、いふまでもなく我々の周圍に日日繼起しつつあるところの犯罪現象の原因、態樣及び將來の動向を明かにすることである。私も今次の戰爭――その繼續中及び終了後を通じての――正確なる刑事學的決算を作成することを意圖してゐる。然しそれを今直ちに本書に於て提供することは不可能である。何となれば、我々は現在その戰爭の淸算を始めたばかりで未だ問題の過程自體が終了してゐないからである。それに資料の點からいつても、問題を正確に理解するために是非必要な刑事統計がまだ昭和十五年度までのものしか發表せられて居らず、太平洋戰後の狀態については確實なことは何もいへないのである。これ私が戰時戰後を通じての犯罪現象の精密なる分析と究明はこれを後日に期せざるを得ないとなす所以である。

第二章　長期戰の各段階と犯罪現象の動向

「戰時及び戰後の時代に於ける犯罪現象の全體的な發展は、心理學的にもまた社會學的にも極めて興味ある獨特の波狀を描いて進行してゆく。それを見てゐると、戰爭は我々の考察すべき全時代を通じて必ずしも同一の影響を與へるものではないといふことが判明する。而もそれは一向不思議でない。といふのは、その時々の壓倒的な出來事に對して國民が示すところの全體的態度といふものは一年一年と絕へず變化して行くものであつて、社會現象として社會的・心理的に制約せられる犯罪現象は恰もその數の中にこの變化を反映してゐるからである。刑事統計はその他の場合に屢々さうであるやうに、茲でもまたその時代史を映し出す鏡である」（註一）。エクツスナーはその著書の或る章の冒頭にかう述べてゐる。さうして彼は、一九一四年より一九二三年に至る戰時及び戰後の十年間を更に五つの段階に區分し、その各段階を特徵づけた國民一般の心理的傾向を描寫してゐるのである。かくて彼が與へた描寫は直接には墺國一國の事態に關するものであるけれども、然し殆んどその儘でまた他の交戰國や中立國に於ける事態の推移にも妥當する圖式たり得るのである。

彼による時代區分は次の如きものである（註二）。

（一）戰爭による感激の時期（die Zeit der Kriegsbegeisterung）。これは戰爭勃發當初の數週若くは數箇月の期間で、强ひて線を引けば一九一五年の初頭までといふことにならう。公共心の高潮せしめられたこの時代に續いてやつて來るのが、次の

（二）義務履行の時期（die Zeit der Pflichterfüllung）とでも呼ばるべき時代である。この時代には戰線に在る兵士も銃後を守る家庭婦人もあらゆる辛苦に屈せず、何が何でも勿論「やり拔か」ねばならぬ（Durchhalten）といふ眞劍な信念に充されてゐる。然し一九一七年頃からは更に樣子が變つて來て

（三）疲弊の時期（die Zeit der Ermattung）がやつて來る。この時代には右の信念があちらでもこちらでも動搖し始め抵抗力が弱まり出して來る。この傾向の極まるところ遂に一九一八年秋の

（四）崩壞の時期（die Zeit der Zusammenbruches）が訪れる。この崩壞は先づ軍事的政治的な崩壞として、次いで經濟的破局として起る。それは恐るべき社會的破滅の數年間であるが、そ

れも一九二二年秋のクローネ貨幣の安定を俟つて始めてどうやら終了するに至つた。これと共に始まるのが

（五） 復興の時期 (die Zeit der Wiederaufbaus) である。然しこの時期は最早我々の主たる關心の外にあつて、せいぜいそれ以前の出來事と比較する爲めにその都度引合ひに出されるに止まる。

以下この各時期に關するエックスナーの説明を紹介して見よう。

註一 Exner, Krieg und Kriminalität in Österreich, S. 11.

註二 Exner, a. a. O. S. ff11.

一 戰爭による感激の時期 戰爭勃發當時墺太利領内の獨逸系住民の多い所に居合せた人々には、それが犯罪的時代どころかむしろ道義心高揚の時期であつたことは明かであらう。墺太利とセルビヤとの不和はその頃益々甚しさを加へ既に二度も動員令が發せられた程であつた。セルビヤ問題は單に政治家のみならず國民一般の重大關心事となり、政府の弱腰を難ずる聲は巷に充ちてゐた。そこにもつて來て、皇太子夫妻に對する例の兇行であつて、而もセルビヤ官邊までがこれに關與してゐると報ぜられたのであるからもうおしまひである。最後通牒が發せられ、次いで直

ちに宣戰が布告された。且この措置は少くとも獨系墺太利人には、鬱とほしい氣分からの解放として受取られた。戰爭は不可避の且正義に適つた戰ひであると考へられた。新兵も國民兵も共に歡呼して武器をとり、二百年前勝ち誇つてセルビヤに攻込んだ墺太利の民族的英雄「プリンツ・オイゲン」(„Prienz Eugen, den edle Pitter")の歌聲は僻村の居酒屋の隅々まで響き亘つた。この氣分は敵國の數が增へ、セルビヤ戰爭が世界戰爭に發展しても更に搖がなかつた。本當にこれから起らうとしてゐる事柄について、誰も正しい觀念をもつものはゐなかつたのである。さうして旺溢する祖國愛の感激は一切を覆ひ盡し、解放戰爭以來曾て見なかつたやうな感動的な運動となつて行つた。老人も子供も喜んで助け合ひ、應召した男子に代つて工場や野良の仕事を引受け、また最後の手持の羊毛まで編み盡し最後の一錢まではたき盡して戰線への慰問品とした。而も人々は、それが祖國の大事に役立つことこなるが故に、更にまた自分達銃後にある者も出でて祖國の防衞に當りつつある人々も一體の運命に連つてゐるのだと感じたるが故に、それを進んで爲したのであつた(註一)。

然らばど犯罪はどうだつたであらうか。右に見るが如き自己犧牲の喜び、共同の大事に對するかの自發的服從、かの一體感――全てこれらは通常犯罪の最大の源泉をなす利己心及び粗暴とは正反對のものである。だとすればこの時代が刑事學的に見て非常に惠まれた時代であつたらうといふことは、それが數字的に證明できてもできなくても、おそらく疑ひの餘地なきところであらう。事實このことは、例へば墺檢事總長ヘプラー（Höpler）の如き實務家により證明せられてゐるところであつて、彼はこの開戰當初の數箇月について、感激と義務感情の波はその當時の犯罪を最少限度に收縮せしめたと語つてゐるのである（註二）。尤もこれを統計的に證明するとなると墺刑事統計の不備の爲め若干の困難がある。そこでヘプラーは統計の整備した獨逸に事例を採り、そこでは重罪、輕罪を理由とする有罪判決が一九一四年には前の一九一三年に比し大凡十萬件減つたといふ事實を擧げてゐる。一九一四年といつても實際戰爭の行はれたのは後の五箇月だけだから、その減少は誠に著しいといふべきである。然し當時既に頗る多數の人々が召集その他の理由で軍法會議の裁判權に服するやうになつてゐたこと（通常裁判權からの脫去）を考へると、右の通常裁判權下の有罪判決の減少は未だ眞の犯罪減少を立證するものとはいひ難いとも考へられよう。その眞の證明はむしろ本來兵役と無關係な婦人や少年少女並びに既に兵役義務のなくなつた老齡の男子についても同じ時期に明かに同樣な犯罪數の減少が看取されたといふことにより與へられてゐる（註三）。

墺太利については遺憾乍ら一九一四年の有罪判決數は分つてゐない。然し同年に裁判所に繋屬した被告事件數等から事態が同樣であつたことを證明し得る。例へば繋屬中の重罪、輕罪事件は前年に較べて減少して居り、而もそれは大多數の裁判所に共通せる現象である。唯二三の裁判所（聖ペルテン、ウイーナー・ノイシユタツト、シユタイヤー）では逆に事件が增加してゐるが、これはおそらくそれらが何れも軍需產業の中心地なので開戰と共に人口が激增したことに基因するものであり、人口との相對關係に於ては決して增加してゐないと思はれる。

右の如き犯罪減少の理由はどこにあるであらうか。これについては、例へば戰爭のために犯罪と一番關係の深い年齡層の男子がちようど不在になつたといふこと、或ひは一般國民は他にもつと切實な關心事があるためちよつとした犯罪位では一一告訴告發をしなくなつたといふこと、或ひは一定の犯罪に對する裁判權が軍法會議に移讓せられたといふこと、若くは建築勞働者、土工商人、仲買人等の犯罪と關係の深い連中がそれぞれの出稼先から雪崩れをうつて鄕里に歸つて行つたといふやうな事柄が考へられるが、然しそれらは何れも右の事實に對する部分的說明たり得るに過ぎない。而もそれらに對してもガリシアやブコヴイナ方面からの多數の戰災者が流入して來たといふ反對事實及びそれによつて少くとも右の最後の事由による人口減少は相殺されて餘りある位だつたといふことを指摘しなければならぬであらう。我々はやはり上述したやうな國民の感激がその最大の原因であつたと斷ぜざるを得ないのである。

以上述べたやうな一切の證據からすれば、どんなに控へ目の觀察者と雖も、この開戰當初の數箇月は犯罪現象に好ましい影響を與へたと結論することに躊躇しないであらう。然しこれは實は從來の戰爭に於て既に認識されてゐたところであつて、それが今再び實證されたといふだけのことである。

註一 Exner, a. a. O, S. 12ff.

註二 Höpler, Wirtschaftslage—Bildung—Kriminalität, Archiv für Kriminologie, 76. Bd., S. 81ff.

註三 Liepmann, a. a. O. S. 58ff. Exner, a. a. O. S. 14.

二 義務履行の時期（註） 一九一五年と一九一六年には開戰當初の全く喜ばしい姿は漸くより深刻な貌を呈して來た 國民一般の氣分は明かに變つて來た。最初の醉つたやうな感激は過ぎ去つた。一九一四年より一五年の冬にかけての露西亞軍の大勝は人々が甘く考へてゐたよりも敵は遙かに戰備を整へてゐたことを示した。その上一九一五年の五月には、一月前まで獨墺の同盟國だつた伊太利が新しく危險な敵として登場し、戰爭の短期終了の希望は消えて了つた。然しそれでも北部戰線では露軍を退却せしめ、南部戰線では伊軍の最初の大攻勢を擊破する等輝かしい戰果が擧つてゐたので、國民の自信は未だ失はれてはゐなかつた。だが困難は國內でも增加して來た。政府は議會の機能を停止せしめ一切を緊急命令で强行するといふ非常手段に出たが、議會は既に平和時代から激しい黨爭の爲め殆んど活動不能の狀態に墮つてゐたので、獨系墺國人の大多數は右の政府の措置をむしろ當然だと視てゐた。但しそれが獨系墺國人の間に於てすら必ずしも異論のないやり方でなかつた證據には、この時分に社會民主黨代議士の首相シュテュルク伯暗殺事件が起つてゐる。後から考へると、これは崩壞のおそらく最初の徵候だつたのであるが、當時はさうとは考へられず全く特別な出來事に過ぎぬと見られてゐたのである。かくの如くいろいろの事柄はあつたけれども、兎に角、それは全體として「義務履行の時期」であつたといひ得るのである。人々は勝利の日まで戰爭の苦難を堪へ忍ぶ意志を有したし、またその能力に自信をもつてゐたのである。だが戰爭の齎す苦難は既に大きな力を以て國民に迫つて來てゐた。一九一五年は不作であつた。それに軍隊の大移動の爲め輸送難を來し、國民に對する生活必需品の配給は段々不規則になつて行つた。而も重要な必需物資の價格は騰貴し、一九一五年には戰前の二倍、一九一六年には五倍に昂つた。召集は益々擴大せられ、一五年の春には十八歲の者が、一六年の春には五十歳の者まで召集せられて行つた。その外にも、犯罪現象に極めて密接な關係のある顯著な人口移動が起つた。ガリシアやブコヴィナ方面の戰災者の獨系住民のゐる墺國領への流入がそれである。尤もこの運動は北部地方が敵から奪還せらるゝ共に消滅したが、今度はその代りに伊太利戰線からの避難民が流れ込んで來た。

この時代の犯罪はまだ明白な惡化を示してはゐない。通常裁判所に關する限り、犯罪數は全體的に見て平和時代の水準より遙か下にある。第一審に繫屬中の重罪及び輕罪事件の數がこれを示してゐるし、更に有罪判決の數も戰前より減少してゐるのである。然しこの減少は多數の男子が召集されたことと關係があることはいふまでもない。だが恰も正にかやうに軍法會議の裁判權が繼續的に擴大されつつあつたといふことこの故に、一九一五年から一九一六年にかけて僅かではあるが通常裁判所の犯罪數の增加が見られるといふことは重大な徵候的意味を帶びて來るのである。更に戰前には殆んどいふに足りぬ位であつた後方軍法會議の繫屬事件數がいまや著しき增加を見せて來た。

これらの數字の意味を正確に評價することは頗る困難である。然し犯罪は既にこの時期に於て平和時代の水準を乘越え始めてゐたのだと考へても、おそらく、誤りではないであらう。例へば應召による人口移動のない婦人の犯罪がこの時期に於て既に平和時代の水準以上になつてゐるといふ事實の如きはそれを證據づけるものである。然しこの時期に於ける最も憂慮すべく且又この時期と開戰當初の時期とをはつきり區分する出來事は、この時分から少年の不良化が明瞭に增加し始めたといふことであつた。

だがかかる事態の惡化は別に驚くには當らない。この時期のいよいよ痛切になり行く食糧その他の生活必需物資の缺乏は犯罪を誘發する第一の原因であつた。かくて一方には窃盜が、他方に於ては物價釣上げが增して來た。後者の增加には既述のガリシアから流入した避難民も幾分關係してゐる。蓋しこれらの故鄕を離れ職業を失つた人々は、暫くするともう、この物資缺乏を各種の暴利や投機への好機會として利用し始めたからである。一九一六年ウイーンには屆出たものだけでも一四二〇〇〇人の避難民がゐたが、これらはその故鄕が解放された後も大概ウイーンに停つたのである。

典型的な暴力犯は右と反對に減少した。尤も毀棄罪と騷擾罪は飛躍的な增加を示したが、これは概ね生活必需品の不足に基因するデモに際して犯されたものである。その他軍の人及び物に對する厖大な要求もまた新しい犯罪への機會を與へてゐる。例へば兵役忌避の爲めの欺罔行爲や、軍への物品納入に當つての不正行爲の增加の如きがそれである。

註 Exner, a. a. O. S. 15 ff.

三 疲弊の時期(註) 一九一六年に秘かに準備せられた悪條件の一切は戰爭未期頃になると殆んど堪え難きものになつて來た。疲勞困憊の時代がやつて來たのである。尤も差當つては戰爭を有利な、少くとも受諾し得る程度の結果を以て終了し得るであらうといふ希望はなほ依然維持せられてゐる 全般的な戰勢不利の際にも、いつも、きまつたやうに大きな部分的勝利があつて堪へ難き事態の經過を中斷し、差迫れる破局を人々の目から被覆したといふことは、獨墺側にとつて誠に運命的な悲劇であつた。例へば大戰後半期の伊太利に於ける輝しき勝利、ルーマニヤ及び露西亞の崩壞などがそれである。更に之に加ふるに戰爭の最後の日まで續いた政府の極端な報導統制があり、新聞などでも事態の眞相を國民に對して覆ひ隱す爲めあらゆる術策が講ぜられた。けれども國民の大部分は戰により絕へず增大して行く一切の困苦をじつと忍受してゐたのである。だが物價騰貴は益々加はつて來る。一九一八年一月の日用品價格は平和時代の大凡八倍になり、七月には旣に十六倍に昇つた。俸給や賃金の動きは、一部軍需產業を除けば、この物價騰貴と勿論歩調が合はない。だが假りに收入事情がもつとよかつたとしても、肝心の必要な商品が現實には存在せず、少くとも大部分の國民には入手不可能であつたのである。消費規制法規は日常生活に必要な一切の領域に於ける消費を殆んど窒息せしめた。各個人には生存に必要な最少限のものだけが、否、それどころか食糧及び消費財の最少限度にも足りぬものだけしか割り當てられぬことが屢々あつた。而も墺太利にとつて決定的なことは、この消費規定がうまく機能を發揮せず、多くの領域では全く空文に終つて、國民は次週の配給で自分達に割當られた物を本當に貰へるかどうかについて何時も安心できなかつたといふ事實であつた。更にその生活物資の品質が惡いと來てゐる。その榮養價値はうんと低下し、パンは屢々食ふに堪へず健康上有害なことさへあつたのである。ブレスト・リトウスク及びブカレストの平和締結は「パンの平和」として喜び迎へられた。人々はそれにより南露及びルーマニヤの穀倉が飢餓線上にある墺太利に開放されるであらうと希望したのである。けれどもそれは大きな幻滅に終つた。事情は一向に善くならず、國民の士氣も遂に全く沮喪して了つた。

犯罪はこれらの年に於て怖るべき增加を示した。第一審裁判所に繫屬した重罪、輕罪の件數は一九一八年には一九一六年のちようど二倍に達した。この增加は各裁判所の管內に等しく見られた現象であるが、就中リンツ（茲では七一七件が一七八六件になり）、ザルツブルグ（茲では四九四件から一六六六件に昇つた)、インスブルック(玆では八八六件が二一八九件になつた)などの中都市に於てそれが著しかつた。有罪判決について見ても事情は同じで、一九一八年には、戰前に比較して人口は減少し又軍法會議の裁判權に服する人の數は益々增大して行つたにも拘らず、通常裁判所に於ける有罪判決數は戰前を遙かに凌駕するに至つた。

註 Exner, a. a. O. S. 18ff.

四 崩壞の時期(註) 一九一八年の秋には遂に崩壞が訪れた。まづ軍事的及び政治的崩壞がやつて來、次いで經濟的瓦壞が襲つて來た。これより先き一九一八年春の佛國に於ける獨逸の攻擊が停頓し、更にその後間もなく伊太利に對する墺國軍の攻擊が失敗して以來、國民の間にも明瞭に戰ひを投げる氣分が現れた。もう戰を自國に有利に終結せしめる望みは全くなくなつたのである。國民の力も亦、事實、盡き果ててゐた。一九一八年の夏の或る閣議で各大臣がそれぞれの處管事務について報告したことがあるが、その際どの大臣の結論も皆、我經濟力は枯渴して了ひ、最早食糧も勞働力も石炭もなくなつた・從つてもう萬事休すだといふ點に於て一致してゐた。この事態について國民は勿論何も知らされなかつた。だが彼等はこの時も自己の肉體を以て一切の事態の眞相をはつきり過ぎる程明瞭に感得してゐたのである。腐朽した建物を崩壞さずにはもう別段大きな力は必要でなかつた。かくてバルカンに於ける軍事的敗退、ブルガリヤの脱落、休戰の申出、軍の解體、革命及びその結果たる皇帝の退位と王國の崩壞といふ一聯の出來事が矢繼早に起つた。これが四年間も頑張つた後僅か數週間で爲しとげられた破壞事業であつた。續いて起つた出來事を簡單に描くことは不可能であるが、要するにそれは完全な混亂の時代であつた。新しい權力者はまだ實力を十分握つて居らず、過激派は日一日とボルシエヴイズムの脅威を增大せしめつつあつた。さうしてこの脅威は、ハンガリーやバイエルン等の近隣の國々にサヴイエート共和國が實際設立されたとき最高潮に達した。また外國軍隊は引續き墺國領内を占領し、外國委員會は行政に干涉した。復員兵士や歸國した俘虜達は正規又は不正規の軍隊と共に都市も田舍も不安に陷れ、勞働者及び兵士の委員會並びにかかるものと自稱するものは無やみに官憲的權能を僣稱するといふ有樣であつた。然し考へて見れば、當時諸勢力を叫合して秩序を維持しようとしてもそれは到底不可能であつたであらう。何となれば新生の墺太利に對する阻害は國内の革命により齎されたといふよりも、むしろ王國の崩壞と共に經濟上及び取引上の統一性が失はれたといふことに由來してゐたからである。獨系の諸地方は、その食糧から原料及び半製品に至るまで全てこれを今度切離された舊墺國領の他の部分に仰いでゐたので、それらの部分の獨立は新生墺太利にとつては完全な經濟的崩潰の將來たらざるを得なかつたのである。この崩潰を國民は貨幣價値の急激な暴落並びに物價の奔騰といふ形で感知した。クローネ貨の購買力は一九二〇年初頭には平和時代の五十分の一であつたが、一九二一年初頭には百分の一に下り、一九二二年初頭には唯の千分の一に過ぎなくなつた。この狀態は一九二二年秋の國際的なクレヂツト行爲によるクローネ貨安定策が成功した後にやつと改善せられ得たのである。

全てこれらの出來事及びそれから生ずる刑事學的影響を理解するには、終戰當時國民がおかれてゐた狀態を思ひ浮べれば十分である。即ち當時國民はやつれ果て、餓え、過勞に陷り、神經はくたくたにされ、最後の血の一滴まで枯渇せしめられてゐたのである。その時代を支配したものは飢餓、失業及び前代未聞の住宅難、石炭不足であつた。政治的崩壞は同時に國民の肉體的崩壞であり、それは更に道義的崩壞を將來した。

まづ刑事統計の語るところを聞かう。それが示すこの時代の數字は、軍法會議が解消せられ通常裁判所の報告はいままでのやうに不完全でなくなり、更に人口調査が爲された結果過去十年間に於ける人口移動の結果を知り得るやうになつたといふ限りに於て、信頼することができる。その限りに於てまた戰前の犯罪狀態との比較も容易になつた譯であるが、然しまたその反面に於てこれらの年については處罰を免れ從つて統計面に計上せられなかつた犯罪の割合も亦どんなに高く見積つても高すぎるといふことはないといふ事實を見落さないやうにしなければならぬ。

まづ重罪及び輕罪の繫屬件數について見れば、一九一八年には既に四〇%の增加を示し、一九二〇年には一九一八年の正に二倍に達した。有罪判決數は戰後の四年間に於て戰前の四年間の二倍に增加した。而も人口は領土分割、疾病並びに戰死により減少してゐるのであるから、眞に正確な觀念を得る爲めにはかゝる絕對數より相對數を見ねばならぬが、それを見ると戰前の人口十萬に對する重罪の有罪判決二〇九・五に對し戰後は五六八・六となつてゐるのである。

かやうに我々は犯罪の著き增加に直面するのであるが、その增加は數字が示すより實際はもつと大きかつた筈である。といふのは國家は既に戰爭遂行中さへ通常の犯罪鎭壓力を發揮できなかつたのだから、革命後の國家權力にはそれは一層困難だつたと判斷されるからだ。かかる理由から訴追を免れた無數の犯罪があつたに違ひないが、それにも拘らず墺國裁判所は未だ曾て見ないやうな刑事々件の巷水に襲れてゐた。さうして、かかる負擔過剩のため誘發された弊狀は遂には獨逸の雜誌記事となる程に達した。特にウイーンの刑事裁判所では、豫審判事はせいぜい最も緊急な勾留事件を處理し得る程度で、民事の判事まで刑事裁判所に轉用しなければならず、また刑務所の收容人員は定員の二倍三倍に達した。釋放者は直ぐに新な犯罪を犯して再び法廷に現れた。而もこの犯罪の氾濫は單に都會だけでなく田舍も同樣であつたのである。

然らばどの年が犯罪の波の最も高潮した年であらうか。有罪判決の數から見れば一九二一年がそれである。然し有罪判決の最大は未だ決定的ではあり得ない。何となれば裁判所には未濟事件が山積してゐて、それは刑事司法の急速なる改革を俟つて始めて處理せられ得たからである。從つて我々はむしろ刑事々件の最も多かつた年度を訊ねる必要があるが、それはおそらく一九二〇年であつた。然し我々にとつて大切なのは國家的に訴追せられた犯罪より、むしろ實際行はれた犯罪である。この點から考へると一九二〇年に於ける訴追は混亂してゐた一九一九年に較べると遙かに强力になつて居り、從つてそこでは未發覺の事件の割合はうんと減少してゐたであらうことを顧慮する必要がある。特徵的なのは次の點である。ウィーン警視廳では一九一九年には一九二〇年の二倍の竊盜と强盜事件が申告せられたが、警察は證據不十分の爲めその中の少數しか檢事局に送局できなかつた。當局者はそこで次のやうに結論してゐる。「一九二〇年にはいかにも檢事局に齎された申告は增加した。然し實際行はれた犯罪數はその前年よりずつと少かつたといふことは殆んど疑を容れない」と。同じやうに上部墺太利、下部墺太利でもザルツブルグでも當時既に犯罪の最高潮は經過したといふのが檢事局の意見であつた。申告の數の增加は、單に、憲兵の數が增へ且その活動が活潑になつたこと、及び一九一九年當時のやうに勞働者や兵士の委員會の干渉によるその機能妨害がなくなつたこと等によるのであらう。かう見て來ると――統計の數字にも拘らず――一九一九年こそは犯罪の最高潮に達した年だつたと看なければなるまいとされるのである。

註　Exner, a. a. O. S. 19 ff.

五　復興の時期(註)　だが、一九二〇年乃至一九二二年が或る程度の改善を齎らしたとしても、戰前の時代に較べれば、まだまだ犯罪は極めて多いといはなければならなかつた。その原因は別に述べることにして、茲では單に一九二三年といふ年が一つの轉換期であつたやうに見えるといふことだけを指摘しておきたい。その前の二年間にはなは五萬件に昇つた繫屬件數は、一九二三年になると突如として三萬八千件に減少するのである。この減少は墺國內のどの裁判所の管內でも看取せられたところである。事實、政情及び社會的事情もいままでと別の相貌を呈するに至つたが、それは主として一九二二年秋のクローネの安定によつて齎らされたものである。クローネの安定は經濟全般に對して看過すべからざる意義をもつてゐた。この時以來「復興の時期」

が始まつたといふことができる。勿論若干の犯罪の領域に於てはこの時期になつて始めて戰爭の後遺症狀が表面に出て來るのであるが、然し刑事統計は、兎に角、一九二三年を以て道義的復興が始まつたことを示してゐるやうに見えるのである。

註 Exner, a. a. O., S. 23 ff.

第三章　戰敗國獨墺に於ける各種犯罪の動向

我々は茲では各論的に各種の主要犯罪集團別に、その戰時中及び戰爭終了後に於ける動きを眺めなければならぬ。かかる主要な犯罪集團として、(一)國家及び公共に對する犯罪、(二)戰時經濟犯罪、(三)財産に對する犯罪、(四)人身に對する犯罪、(五)風俗に對する犯罪を掲げることができよう。以下順次これらについてその動向を見て行かうとするのであるが、その際我々は統計の整備その他の點から最もはつきり調査せられてゐる獨逸の事態に重點をおきつつ墺太利の狀態をも併せ考察したいと思ふ。但し(二)の經濟犯罪の刑事學的分析は專ら墺太利の經驗のそれに限られてゐる。蓋し獨逸に關するリープマンの研究や、佛蘭西についてのヨーカスの研究にはその點の記述が含まれてゐないので、茲では差當りエックスナーの墺太利の經濟犯罪についての記述を紹介するに止めざるを得ないのである。然しこの墺太利で見られたことは大體その儘他の諸國にも當嵌るものであつたらうといふことは、今次、戰爭に於て我々日本國民が經驗せるところに照しても容易に想像できると思ふ。

第一節　國家及公共に對する犯罪

この種の犯罪として特に問題になるのは、政治犯罪、國權反抗及び公務員の犯せる犯罪等である。

一　政治犯罪

政治犯罪とは嚴密に何を指すのか、學說必ずしも一致しないが、一應、國家の存立又は組織を直接に侵害又は脅威せんとする犯罪であると定義しておけば足りよう。從來の我刑法典でいへば皇室に對する犯罪、內亂罪、外患罪の如きがそれである（註一）。リープマンは Hochverrat（大逆罪と譯せられてゐるが我刑法の皇室に對する犯罪、內亂罪に該當する）・Landesverrat（謀叛罪と譯せられるがほぼ我外患罪に該當）・間諜罪等をそれだとなしてゐる。彼の說くところによれば、獨逸に於てはこの種の犯罪は戰時中著しい增加を示し、特に崩壞後の一九一九年度並びに一九二四年、一九二五年度――それは貨幣相場の暴落を伴ひ、それが突然安定した重大なる不安と政治　動搖の次の年であるが――にあつては恐るべき增加を見せた。政治犯を全體として眺めると、一九一三年には三五件に過ぎなかつたものが、一五年には六二件、一七年には八九件、一八年には一三四件となり、一九年には實に二七七件に昇つた。爾來百件臺から時に二百件臺に達してゐたが、二四年、二五年に至つて再び激增して五〇一件、五六一件となり、二六年に至つて漸く一七六件に落着いて來た。

この政治犯の增加については、各犯罪別にその原因を究明する必要があり、特に次のやうな諸點が注意せらるべきである。

(一)　大逆罪(Hochverrat)は國家存立の基本要素たる主權者、憲法、領土に對する攻擊を內容とする犯罪 あるが(正確にいへば不敬罪は含まれない等多少の異同はあるけれども、上述したやうに、大體我皇室に對する犯罪と內亂罪を併せたものと考へてよい)この犯罪の增加は專ら敗戰後の現象である。それまで絕無だつたこの犯罪が一九年には突如二二五件も犯され、その後急減した後更に二四年、二五年には三三八件、三二八件といふ數字を示し、二六年には再び忽然として消滅するのである。リープマンによると一九年の犯罪も、實際のところは、二四年のそれより決して少くはなかつたらうと推測せられてゐる。それがかかる增加を見たことは、敗北後の獨逸を襲つた革命と政治的混亂を考へればむしろ當然である。然しそれと同時に、我々は又各種のラディカリズムに對して國家秩序の防衛を焦る裁判所がこの犯罪に關する刑法典の構成要件を極めて廣く解釋適用したことも大いに與つてゐることを忘るべきではないであらう。

（二） 外患罪（Landesverrat） には敵國と通謀し又は武器をとつて獨逸に抗敵するといふやうに「敵國に援助を與へ」又は「獨逸國の戰力を害する」ことを内容とする軍事的外患罪（militärischer Landesverrat）と國家機密の漏泄その他を内容とする外交的外患罪（diplomatischer Landesverrat）とあるが、就中前者は「典型的な戰時政治犯」であるとせられてゐる。それは戰時中漸增して一九一八年には一二四件に達し、當時の政治犯全體の大勢を支配する程であつたが、その後はずつと減少して再び增加することはなかつた。（戰爭が終了したのだからそれは當然である）。これが戰時中增加したことについては、戰爭の要請が經濟生活の全領域に亙つて國家統制の擴大を齎らしたことが大いに關係してゐる。蓋しそれは今次の大戰と同じく交戰國相互の經濟戰爭たる色彩を濃厚にもつてゐて、從來の平和時代にはとても外患罪などとならなかつた經濟行爲、例へば貿易統制違反、收獲物の毀損の如きものから使用に堪へぬ軍需品の納入、軍需工場に於ける怠業に至るまで、全て「獨逸國の戰力を害する」行爲として外患罪を構成するとせられたからである。外交的外患罪は恰もこの軍事的外患罪が減少する頃から現れた。「統計から見ると外患罪は戰爭終了と同時に軍事的外患から外交的外患に移行したかの觀がある。」然しそれが戰時中には少かつたと見るのは早計で、むしろ戰時中のそれは戰場で行はれたものが多く一般刑事統計には現れなかつただけだと見るべきである。それは利得心に基き犯されることが多い點で、犯罪心理學的には間諜罪と近親性をもつ（註二）。墺太利でもこの種の政治犯は潛行的に行はれてゐたやうである。後にチエコ首相となつたクラマルシユの大逆事件の裁判はそれがたまたま顯れた例である。然し一般的にいへば、戰時中の政治犯罪は大したことはなかつたといふのがエツクスナーの見解である。尤も茲では開戰當初の統計が政治犯の若干の增加を示して居り、而もそれらの罪名は大逆罪、王室に對する犯罪といふのが多い。然しそれらの實體を檢討して見ると、その多くが單に君主を誹謗したとか、サラボヱの暗殺を肯定する言說を吐いたとか、或ひは反國家的叫びをあげたといふやうな言語犯に過ぎないもので、而もそれらの大部分は機會犯であつた。その後戰爭繼續中もそれらはずつと平和時代の水準線以下に停つた儘である。それが著しい增加を始めたのは、獨逸と同じく戰爭に敗れ革命が勃發してから後のことであつた（註三）。

註一　政治犯といふ概念は近代刑法に於ては、或ひは國際間の犯罪人引渡に關する例外をなすとか、或ひはその科せられる刑罰は所謂名譽拘禁たるべきものとせられ、更に或ひはそれに對して特別な裁判手續續が用ひられるとか種々の特殊性をもつものとして扱はれてゐる。その概念規定についても、それが侵害脅威する法益（國家の存立及び組織又は國民の公權行使）を標準とする客觀說と、むしろ行爲者を動かした動機が政治的なりしや否やによらんとする主觀說、兩者の折衷說等があつて一概に決定できぬ。然し本文ではリープマンやエックスナーに從つて、その概念を廣く使用してゐるのである。

註二　Liepmann, a. a. O. S. 17-21.

註三　Exner, a. a. O. S. 25-27.

二　國權反抗罪

國權反抗はこれを個人的に行はれることを通例とする公務執行妨害と集團的に行はれる騷擾（獨逸では Aufruhr, Auflauf, Landfriedensbruch の三つが區別される）とに分つことができるが、これらは戰中全く別樣な動きを示した。而もそれは獨墺兩國を通じての現象なのである（註一）。

（一）まづ公務員に對する暴行その他の公務執行妨害罪について見ると、それは開戰當時に減少したのみならず、戰爭繼續中もずつと減少したままなのである。リープマンによると獨逸では戰前（一九一三年）の一八一一三件が開戰の年には一四二四一件となり、更に減少を續けて終戰の年（一九一八年）には實に戰前の六分の一足らず（二八七四件）に下つてゐる。然しそれは戰後再び增加し始めインフレーションの年（一九二三年）には戰前以上（一二〇七五件）に達した。墺太利に於ても全く同樣であつた。戰爭中に於ける「この種の全犯罪のかくも著しい減少は、戰時經濟が民衆と公務員との間の摩擦面を甚しく擴大し、婦人達すら公務員との今までにない强く且好ましからぬ接觸に入り込まざるを得なかつたことを考へると一層注目に値する」（エックスナー）。然しこの一見不思議に思はれる現象も、(1)戰時中に於ける官憲のこの種犯罪に對する態度が寬大になつたこと、並びに(2)この種の公務執行妨害罪の多くは興奮、憤激による行爲として或ひは病的人格者（例へば訴訟狂）の行爲として現れること、更に酒に醉つた上でとか官憲との衝突又は官憲の不法處分（又はさう思ひ込んだ處分）に對する正當防衛（或ひは誤想防衛）として行はれることが多いこと、然るに戰爭は恰もこの種のきつかけまたはきつかけの種となる酒類をうんと減少せしめたといふ事實を想起するならば、それは一向不思議ではなくなるのである。特に第二の點については同じことを、我々は、後に暴力犯の動向を考察する場合に再び見出すであらう。

（二）　群集犯罪たる騷擾については事態は全く異つてゐた。獨逸に於ては既に一九一六年には戰前（一九一三年）の二七三件を遙かに超えた五二二件に增加し、更に翌一七年には一一八九件といふ飛躍的增加を示してゐる。一八年は統計面では減少してゐるが（六三〇件）、實際はさうでなかつたと見るべき理由があり、二〇年には實に二六三三件となつてゐるのである。墺太利では戰爭終了後、特に革命後の國家權威の失墜、社會不安がこれを誘發し增加せしめたと傳へられてゐる。この騷擾の現象形態は次の如きものであつた。まづ共產主義運動は屢々それが伴ふ號外やビラの撒布が新聞紙法違反とされ、更に政治集會での鬪爭、爆弾騷ぎ、デモ、敎會侵入等々の形式で刑事法上の問題となつたし、又單なる經濟的動機による騷擾としては飢餓抗議のデモ、食料品店の掠奪、住居侵入、侵入盜等が頻發した。而もこれは單に都會だけでなく、田舍にも同じ暴力沙汰が增加した。特に保養地や避暑地の地元民の中には、外來客の存在は自分達の食料を減少せしめ且物價騰貴を引起す原因を與へるといふ不滿からこれらに對して屢々暴行を加へるものが生じ、更に農民は强制供出に對して、戰爭中は我慢したがもうこれ以上容赦できぬと頑强な反抗を示すもの等が續出した。

最後に留意すべきは、右の兩犯罪共にその犯罪主體に著しい變化が生じてゐることである。まづ第一に前科者の割合が激減して初犯者の割合が增加したこと、第二に少年の占むる割合が增大したことがそれである。これは特に獨逸に於てリープマンにより明かにせられたところである(註二)。即ち獨逸では一九一三年の全公務執行妨害の三分の二まで前科者であつたが、一八年には三分の一となり二三年には更に減じて逆に初犯者が前科者の四倍半になつてゐる。騷擾罪についても同樣で一三年には總數二七三名中一四九名、即ち過半數が前科者だつたのに、一七年には一一九八名中の一二〇名即ち十分の一に減じてゐるのである。而も少年の數はこの間九名より五五三名(戰前の有罪全員より遙かに多い)に增加したのである。我々は戰爭の破壞的影響が從來犯罪などと係りのなかつた社會層を强引に犯罪の世界に引込んで行つたことを——後に第四章第五章に於て改めて見る筈であるが——茲でも看收しなければならぬのである。

註一　Liepmann, a. a. O. S. 21 ff.　Exner. a. a. O. S. 27ff.

註二　Liepmann, S. 23 ff.

三　公務員の犯罪

公務員犯罪の動きは、エックスナーがいふやうに、國家危急の場合に於ては殊更に特徵的であると共に又重大な徵表的な意味をもつてゐる。かかる公務員の犯罪として最も重要なものは、いふまでもなく職權濫用及び贈收賄の犯罪であるが、戰爭中には共に著しい增加を示した。茲でもリープマンの獨逸に關する報告は詳細である。それを見ることにしよう(註)。

(一) 獨逸の官僚は由來廉潔、責任感及び忠誠心に富み且極めて勤勉であるといふ傳統をもつ(勿論その反面に於て形式主義、杓子定規主義といふ弊害をも伴つたと)信ぜられて來たが、リープマンによるとこの獨逸官僚の優秀性は戰爭によつて極めて深刻な影響を蒙つたのである。その際(1) 近代戰に於ける行政の任務の増大と (2) 戰爭による公務員の人員減少が考へられねばならぬ。戰爭のため官公吏の數は戰前の半數乃至四分の三に減少したが、事務は逆に增加する一方なので、官公吏の中には過勞による病人や死者が續出する有樣であつた。この現實に直面して退職老官吏や少年、婦人――それも教養、體力のないもの――まで引張出され、茲でも御多分に洩れず「代用官吏」(Beamtenersatz)の氾濫を見た。而も戰爭の要請は徵發、統制、配給といつた形で官公吏の國民生活に對する干渉支配權を増大せしめる。かくの如き廣汎な權限をかくの如き劣悪な素質の者が振廻すのであるから、その弊害たるや想像に餘るものがある筈である。その上これら官公吏の生活は極めて苦しい。エックスナーは墺太利について、實際生活に於て軍人はさう困つてゐなかつたが公務員は一般に飢餓的賃金(Hungerlohne)しか貰つてゐなかつたといつてゐるが、獨逸とて同じことだつたのである。このやうにして誘惑にかかり易い一切の條件は具備してゐたのである。

（二）　贈賄罪は公務員のモラル狀態を推察する上に於て特別重要な意味をもつてゐる。收賄罪がそれの直接的表現であることはいふまでもないが、贈賄罪もまた公務員の淸廉潔白性如何に對して一般民衆の與へてゐる評價を反映するものとして重要である。獨逸の刑事統計では收賄は戰時中も增加せず、一九二〇年頃から始めて激增してゐるが（一三年には二八件、二〇年には一二八件）、贈賄は既に一九一六年頃から增加し（一三年の二六八件が一六年には二七四件）、戰後は一層甚しくなつた（一八年は八二五件、二一年は一四〇〇件）。茲でもエックスナーが風俗犯に關して述べたこと（後述）――即ち統計面の數の少いことは必ずしもその犯罪が現實に少かつたことを示すとは限らず、逆にそれが餘りにも多くて世人が一一問題にしなくなつた結果であることもあるといふこと――が援用せられ得るといふのがリープマンの見解である。

（三）　公務員により行はれる横領その他の職權濫用等も一九一四年に若干減少した外戰時中既に增大を示し戰後も當分の間（一九二五年迄）は一向改善の方向に向はなかつた。即ち横領についていへば一三年三六二件、一六年五一二件、二二年六七六件、二五年一三七八件となつて居り、その他の公務員犯罪はそれぞれ右と同じ年度に於て四三五件、六五八件、八四六件、七七六件といふ數字を示してゐるのである。

(四) 右の如く公務員犯罪は戰爭により著しく增加した。然し我々はその刑事學的意味を判斷するに當つて、刑法の所謂公務員に該當する人の範圍が戰時中非常に擴大されたといふことも併せ知つておく必要があるであらう。

註 Liepmann, a. a. O. S. 25 ff. Exner, a. a. O. S. 39 ff.

第二節 經濟犯罪

經濟犯罪については戰時戰後を通ずる刑事政策の最大問題として今日最も世人の注目しつつあるところであるが、前大戰に於てはどうであつたであらうか。これについて特別な一章を割いて論じてゐるのは前記エックスナーの墺太利についての研究である。我々はそれを讀んでそれと我國現下の經濟犯罪現象とが餘り近似してゐるのに——刑事學的に考へれば當然のことであるが——驚くのである。以下少しくそれを紹介することにしよう註一。

× × ×

墺太利の國民經濟は戰前に於て既に國民の必需品の一切を自給する能力をもたなかつたのであ

るから、開戰後の軍需を始め諸種の需用の激增と、その反面に於ける輸入の杜絕により窮迫を來したのはむしろ當然であつた。特にガリシヤ、ボヘミヤ、ハンガリー等の農業地帶との斜斷、食料、原料、肥料の著しき缺乏、軍需の絕對的增大等は國民の日常生活についても、いまや單に支拂能力のある者に供給するだけでなく、其の能力なきものにも生存に必要なる最低量はこれを保障してやらねばならぬといふ困難な課題を提出した。この課題に答ふべく現れたのが厖大なる戰時經濟統制法規の集團である。まづ生産確保の爲めには耕作義務、肥料配給、休閑地耕作、鐵屑に至るまでの金屬、ぼろ衣に至るまでの纖維から皮革、曹達等の一切の工業原料の申告義務及び管理（差押）が命ぜられ、不急不用物資の生産制限としては麥酒、ウイスキー釀造制限、一定金屬の販賣禁止、馬鈴薯の石鹼製造への利用禁止からカーペットや床の掃除にパン屑を使ふなといふ命令まで發せられ、消費規制では食料、衣料、靴、屑紙に至る一切の紙類、煙草、ガス、電氣石油、蠟燭の國家管理、取引制限、最高價格の決定がなされた。この外配給統制機關の設置、切符、購買票の制定、外國爲替の管理等が行はれ、その生産、販賣に關して國家の干渉の及ばぬ必需物資は何もない迄に至つた。正しく、當時の商業、營業、農場、大工場から小工場に至る一切の工場の運命を決定したのみならず、又各家庭各個人の日々の希望から思考、快不快に至るまでの全運命を左右したものはこの强制經濟（Zwangswirtschaft）であつた。

かかる國家的經濟統制の實施は單に物資不足により需要と供給の均衡が困難となつたといふ事實によつてのみならず、又商人や一般世人の一種の心理狀態がこれを必然的ならしめたのであつた。我々にとつてはこの後の社會心理の動きが重要である。まづ供給者の側では輸入杜絶、生産減少等の事實以外にその手持商品を市場に出すことを躊躇する賣惜みの心理があり、反面需要者の方面には將來の爲めに少しでも貯へておかうとする買占めの心理が働く。茲から法外な代價を拂つても買漁る一部の者が現れ、それは國家が抑制しなければやがて一般國民は何も買へなくなるまで物價を騰貴せしめる。而もこれを抑制すると違法な價格と闇相場との間に開きが生じ、そこに暴利行爲とか價格釣上げのやうな犯罪への誘惑が生れる。この誘惑は單に商人に對してのみならず戰爭の爲に仕事が駄目になつた者や避難民にも及び、更に戰後に於ては失業した知識階級にまで波及して行つたのである。

國家がこの經濟統制に用ひた手段は行政的强制並びに刑罰制裁であつた。墺太利で經濟統制の基本となつたのは一九一四年八月一日の勅令であるが、戰爭による新規なる犯罪現象の續出は、それを法的に把へる言葉にも窮する程甚しく、それにつれて刑罰も自然加重せられて行き、その他の對策も日を追ふて嚴重となつて行つた。經濟犯罪は經濟的な裏切りだといはれる。而も刑罰制裁が犯罪防止の方法として十全的でないことはこの戰時經濟犯罪に關して最も明白に曝露せられたところである（註二）。蓋し官憲の最大の干渉にも拘らず、經濟犯罪は夥しく増加したからである。重要なる經濟犯罪の動きについて述ぶれば次の如くであつた。

（一）　最高價格違反物價を低く維持しようと欲する國家が最高價格規定を設けるのは當然である。墺太利でもその通りで、而もその違反の處罰は行政機關に委ねられたが、戰時及び戰後を通じてその違反の數は無數であつた。時によると最高價格の規定は全く空文に墮し少しも尊重せられなかつた。然しその取締が勵行せられた時ですら、檢擧された數は――それ自體として莫大であるにも拘らず――實際犯された犯罪の小部分に過ぎなかつたのである。

（二）　暴利行爲（Preistreiberei）　然し固定的な最高價格だけでは變動する經濟事情を正確に把へ得ない。そこで最高價格の制度と併存的に設けられたのがこの暴利行爲に關する一般的罰則である。それによると必需物資について「明カニ過當ナル價格ヲ要求シタル者」（offenbar über-mässige Preise fordert）が處罰せられたのである。然し實際問題としては、その明かに過當な價格の要求といふ法文の用語自體の解釋が樣々であり得たし、又過當かどうかの證明は困難であるといふやうな原因から、その現實の適用は極めて稀れであつた。この暴利犯は屢々文書僞造罪等と牽連犯の關係で現れたが、特に我々の興味を惹くのは右の罰則の「要求」といふ法文を脫法的に免れる爲めに競賣による讓渡が利用せられ、更にこれが爲めに破産を裝ひ或ひは慣れ合ひの破産すら行はれたといふこと、及び業者のカルテル組織が惡用せられたといふことである。その他價格を釣上げる爲めにはあらゆる苦心が拂はれ、術策が講ぜられた。例へばわざと生産額を減らし、或ひは食料を食料にならぬやうにし（馬鈴薯を凍結させて了つて酒にして高く賣る）、又は買占をする（特に大資本の者が中小商人――後者は經濟界の事情がよく分らぬし又資力の關係で品物を長く寢かしておけない――の品物に對して行つた）といふやうなことが頻りに行はれた。

（三）闇取引（Schleichhandel）　上述のやうに軍需と民需を保障する爲めに、生産者にはその貯藏物資の申告と供出が命ぜられ、その自由な取引は制限又は禁止せられた。然るに供出價格が低過ぎる等の關係で、生産者はその生産額、貯藏額について虛僞の申告をなし供出を免れると共に、それを不法に販賣して利益を得ようと企てる。茲に闇取引が現れて來る。これが取締は行政官廳に委ねられてゐた爲めに、今日その違反の數字を確めることはできないが、反面からいへば又數字などは不要である。それについては「戰爭末期及び戰後の時代に於て見られたところの停車場に汽車が着く度にリュックサックや籠や包に田舍から入手して來た物を一杯背負つた人々の波がどつと溢れ出す」買出部隊の光景を想ひ出すだけで十分である。彼等の持歸る物は皆闇取引により得られた物であり、彼等の中の少からざる部分は更にそれを闇で轉賣することを意圖してゐたのである。而もこの買出と闇の横行に對して官憲は全く擧措を失し徒らに拱手傍觀するのみであつた。更に附言すべきは闇ブローカーの激增である。どの都市も農村も、又大工場から軍部に至るまでの全ての組織が皆それぞれの購買係や代理人をもつてゐて、これらに大金を持たせては田舍にやつて大口の闇買ひを行はせたのである。その際最高價格など無視せられたことはいふまでもない。それは「正しく官邊より促進せられたる暴利行爲」(eine geradezu von amtswegen geförderte Preistreiberei) であつた。

(四)　中間搾取商賣 (Kettenhandel)　この種の行爲の特徵は生產者と消費者の中間に介在する商人が物資の配給に必要な數以上に多數存在して鎖のやうに連り乍ら專ら利潤を貪るところにある。勿論以前にもかかる中間商人がなかつた譯ではないけれども、茲に特に Kettenhandel といふのは物が生產者から消費者に達するためにそれらは經濟的に全く無要な介在者であり中間搾取者であるといふ點を强調するためである。物資の不足は何品によらず持つてさへゐれば利益を得て轉賣する機會がいくらでもあるやうな事態を生ぜしめる。この事態は更に本來の商賣人でも何でもない者にまで俄か商賣をやらせることになる。蓋しそれは必ず儲る上に資本も大していらぬからである。かくて給士、理髪師、官公吏、士官、教師、生徒に至るまでこの中間搾取的商賣を爲すに至つた。指物師がコカイン密賣で擧げられたといふ新聞記事の如きはこの間の事情を示してゐるであらう。かかる事態は戰爭當初には殆どなかつたことで、社會的窮乏の激化した一九一六年頃からひどくなつた。その遣り口にも種々の手の込んだものが見られる。(1) 證券利用の中間搾取 (Zettelgeschäft)。これは倉庫證券や運送證券によつて物品を賣買するもので、貨物は倉庫や停車場におかれた儘で終局の買手が引取るのであるが、その證券の引渡毎に手數料や、利潤が收められ、消費者にすればそれだけその負擔が增大するのである。その性質は仲介行爲の一種に過ぎぬ。然し單なる仲介では手數料は二%を超ゆべからずといふ制限があるので、自己の名による賣買といふことにしてこれを免れたのである。(2) 空取引 (Luftgeschäft)。これは現實に取引の對象を持たず、又それを何人かから取得する權利をも有しないで空相場的な取引を爲すものであるが、一九一八年には實に十萬足の軍靴の空相場が行はれたことすらあるといふ。(3) この中間搾取商賣に銀行が加擔して來ると弊害はいよいよ甚しくなる。右に中間搾取には資本はいらぬこいつたが、然しそれは即座に現金の支拂を要することが多く、それをもたぬ者は大掛りな仕事はやれないのである。銀行がこれに目をつけるのは當然で、事實銀行はその誘惑に抗し切れなかつた。

（五）外國貿易　人爲的に低くされた物價のため、墺國の物資はどんどん外國に流れて行つた。これに關し、我々はハンガリーも經濟的には全く外國だつたことを注意しておく必要がある。その結果密輸その他の術策が行はれた。かくて例へば(1)輸出許可證に値打が出てその取引が盛に行はれ、(2)又輸入品には價格制限がないので墺國産の物を外來物、特にハンガリー物だと僞つたり、又は國内産のものをわざわざハンガリー當りに持ち込んで再輸入をして暴利を得やうとした。而も一度持出されたものは全部歸つて來る譯ではないので窮屈なものが益々ひどくなつた。衣類の不足こ騰貴は特にこの後の方法が濫用された結果である點が大きい。

扨て以上の如き經濟犯罪に對する取締機構の重點は裁判所よりむしろ經濟警察、就中その暴利取締官（Wucheramt）にあつた。後者は一般警察からも段々獨立して行き屢々それより優越する地歩をすら占めてゐた。それは裁判權をも握り、一九二〇年にはウィーンの戰前一年間の有罪判決數に劣らぬ二六二八七件の判決を言渡すに至つてゐる。――然らばこれらの取締は成功したであらうかといふに、答へは否である。生産者や商人は勿論一般消費者にとつても統制は正しく怨嗟の的であつた。人々は經濟警察と檢事の干渉が中間商業を却つて增大せしめると考へてゐた。更に又法定の最高價格が實情に比し低過ぎて原價を切る程だつたことが闇取引を增加せしめたといふ聲もある。而もこれらの非難が何れも相當の理由があり、むげに斥け得ないといふことが正しくこの戰時經濟狀態の悲劇であつた。然し若し國家が經濟を自由に放任し何等の干渉も爲さなかつたとしたら一體國民生活はどうなつてゐたであらうか。それは實際あつたのと比較にならぬ程慘めだつたらうことも亦明かである。然しそのことは決して右の經濟統制がそれに課せられたる使命を十全に果したことを意味するのではない。それは明かに失敗であつた。若しそれが成功して物價がやむを得ぬ程度以上に騰らず、缺乏が公平平等に負擔せられてゐたならば、戰時中及び戰後の社會道德、從つて又犯罪にも大きな影響を及したであらう。即ち財產犯はあのやうに增加せず、國民の遵法心はあのやうに低下しなかつたであらうといふのがエックスナーのこの點に關する意見である（註二）。

註一　Exner, a. a. O. S. 42ff.

註二　Exner, a. a. O. S.55.　獨逸についてリープマンも全く同樣な感想を漏してゐる。曰く「戰時經濟禁令に對する多樣な違反は、戰時の他の現象にその比を見ぬ程國法に對する尊敬と刑罰に對する恐怖とを覆し、そのことによつて眞の犯罪への顚落に對する貴重な抵抗力を失はせることに與つて力があつた。原始的な自己保存の本能は禁止の體系に對して抵抗し、その脱法や違反は日一日と大つぴらになつて行つたのである」と。Liepmann, a. a. O. S. 10.

第三節　財產犯罪

エックスナーは「戰時犯罪とは經濟的犯罪である」(Kriegskriminalität ist wirtschaftliche Kriminalität)と喝破したが、リープマンもこれに贊成して、このエックスナーの言葉は(一)犯罪の對象、形式が經濟的財貨に關係するものが多く、(二)又犯罪原因として重要なのは直接の戰鬪行爲であるよりも、むしろ戰爭の伴ふ經濟的な諸現象であるといふ二重の意味に於て眞實であると述べてゐる。確に戰爭は前述の統制經濟違反の洪水を惹起しただけでなく、更に「全犯罪中に占むる財產犯の比重」を著しく增大せしめたのである。

一　獨逸について見ると財產犯は戰爭開始直後には若干の減少を見たが、その減少率は他の犯罪に比するとうんと少かつた。そして一九一六年には既に增加を始め、一七年には開戰當初(一四年）より多くなつてゐる。重罪及び輕罪の全有罪判決中財産犯の割合は一三年四四・七％、一四年四六・三％、一五年五七・八％、一六年六五・一％、一七年七三・八％となつてゐる。墺太利について見ても同樣で、戰前より茲では獨逸に比し一層財産犯、特に竊盜犯の比重が大きかつたのであるが、この傾向は戰爭により更に促進せられた。竊盜犯だけをとつても、戰前四年間の平均は全犯罪の三九％だつたのが、戰爭中は七三％、戰後四年間は八〇％となつてゐるのである。――次に各種の財産犯につき簡略にその動きを見ておかう。（註）

（一）竊盜罪　竊盜罪は獨逸でも墺太利でも一九一六年に既に戰前の水準を越え、爾後絶へず增加を續け、戰爭終了後は一層激增した。而もその增加は初犯者の著しき增加によるものであつて、戰前に於ける竊盜犯が累犯者の大きな割合により特徴づけられたのと對照的である。このことは兵役と無關係なる婦人、老人及び少年について見れば特に顯著であつて一五年既に戰前の水準線を越え戰爭末期には二倍に昇つてゐたといはれるのである。――竊盜に於ける累犯と初犯の關係の變化（初犯者の壓倒的增加）については、累犯者たるべき者の應召とか、勞働力不足の爲め出獄者も直ぐ就職できて累犯者となる必要がなかつたといふやうな事實以外に、戰爭による生活困窮が今まで犯罪など犯す必要のなかつた人達の廣汎な層までも財産犯に引摺り込んだといふ事實を重視しなければならぬ。

（二）贓物罪　贓物罪は竊盗罪の必然的な隨伴現象である。その動きも竊盗罪のそれに類似し、獨逸を例にとると、特に少年、老人及び婦人についてその增加著るしく、一九一五年には既に戰前の水準を越え敗戰當時には三倍半に達してゐた。

（三）詐欺罪　詐欺罪は文書僞造と關聯すること多く、その或る部分は文書僞造罪として罰せられてゐると見るべきである。全般的に詐欺罪の動きを見れば、獨逸にあつても墺太利にあても、それは戰時中ずつと戰前の水準以下で僅かに十八年に戰前のそれに近づくのみであるが、少年、老人、婦人だけをとつて見ると十六年には既に戰前の水準を越えてゐる。然しその增加率は竊盗や贓物罪のそれ程著しくはない（戰前には贓物罪は詐欺や文書僞造より少かつたが、敗戰當時は逆になつてゐた）。墺太利でも大體同樣で戰時中ずつと減少し一九年に至り始めて戰前以上の增加を示した。玆から戰時戰後の財產犯の根本的樣相として「財物に對する直接の侵害により行はれる財產犯（竊盗）が增加するのに對して、貨幣に向けらるること多き詐欺事件は相對的に減少する」といふ事實が見出される（リープマン）。この詐欺の減少原因については戰時中の商工業の衰微（獨刑事統計）とか、戰時經濟の非常狀態が詐欺以外にもつとぼろい儲けの機會をふんだんに提供したこととか(ヨーカス)、一般國民が慣れつこになつてたいていの詐欺には驚かず告訴告發の數が減じたこととか、貨幣價値の低落とか(リープマン)様々の説明が與へられてゐるが、最後の點については次にインフレーション期の財産犯を考案する場合にいま一度觸れられるであらう。

(四)强盗・恐喝　これは犯罪心理學的に極めて複雜であつて簡單に論じ難い。エックスナーによると、それは傷害や暴行罪の如き暴力犯と竊盜罪の如き財産犯との双方の中間に位置づけらるべき犯罪である。彼によると强盗罪は戰時中著しく減少したが、然しその減少は傷害罪のそれ程ではなく、又戰後增加して戰前の二倍以上(四〇件に對し九七件)まで高まるが二二年にはほぼ戰前の水準に復した。獨逸でも同様であるが、唯戰後增加した數が再び戰前の水準まで下つてゐないこと(二五年まで)、及び少年の强盗は戰時中から增加したこと(戰後は戰前以下に減る)が注目せられる。

註　Liepmann, a. a. O. S. 55ff.　Exner, a. a. O. S. 59ff.

二　インフレーション及びデフレーションと財産犯。

國民の經濟的困窮は敗戰後は一層甚しくなつた。祖國の敗北による絶望感、獨墺貨幣の外國物資購買力喪失の結果としての世界貿易からの隔離、榮養不良による疾病の續出、犯罪に對する反對動機の弱化――そこでは自分自身の窮乏は犯罪的方法によつてでもそれを充足しようとする刺戟・動機となり、又他人の窮乏は以て乘ずべき搾取の好機會と考へられた――といふ一聯の出來事は蔽ひ難き事實であつた。而も極度の物資不足は金より物への換物思想（Die Flucht in die Sachwerte）を惹起し、一切の物が俄かに價値を生じ、馬鹿げた値段で賣捌かれる。更に生活不安は人々をその日暮しの刹那主義者（Eintagswesen）たらしめ未來への配慮等は人々の精神から消去つて了つた。(註)

正にかくの如きが戰後數年間を支配したインフレーション時代の社會的背景であつた。財產犯はそれが戰時中に既に進行してゐた方向に向つて一層急激に上昇した。獨逸について見ると老人、婦人、少年の初犯の數は戰時中前者の二倍半に增加したが、戰後は更に增加して二三年には三倍半になつてゐる。贓物罪は戰時中に三倍半になつてゐたが、二三年には實に六倍になつた。その他の犯罪に於てもインフレーションは戰爭中のその動向を擴大して示した。全犯罪中に於ける財產犯の比重は依然として大きく二五年にも全犯罪の七二%は財產犯であつた。(1) 而も財產犯に於ても換物思想が顯著で、物の窃取が多くその結果貨幣を主たる對象とする詐欺罪の比重は低くなつた。(2) 又累犯も絶對數に於ては著しく增加したが、初犯者の增加に較べると問題にならなかつた。これはインフレーションがいままで犯罪と緣のなかつた人々をまで犯罪道に引摺り込んだことを語つてゐる。

デフレーションの時代は右の事柄を逆の方面から證明してゐる。財產犯特に初犯者の犯罪は通貨安定と共に著しく減少して來る。而も竊盜に比し詐欺罪の地位が相對的に高まつて來る。「詐欺罪は典型的なデフレーション犯罪である。」貨幣の騙取は再び割の良い仕事になつて來たのである。尤もこれには債權者が債權取立の爲めに詐欺の告訴を濫用する傾向があつたのも與つてゐたらうし、一般現象として犯罪の知能犯化といふことも關係があつたであらう。

註 Liepmann. a. a. O. S. 71ff.

三 我々は更にこれらの財產犯罪を具體的に理解する爲めに、何が、如何に、何人により、何故に（Was, Wie, Wer, Warum）犯されたかについてのエックスナーの分析を紹介しておかう（註一）。

（一） 何がそれらの財產犯の對象となつたかといふに（Was）、苟くも何らかの價値を有する物は何でもその對象となつたといふことができる。それは大別して日常必需品と密賣の對象たり得る物品の二つとなすことができる。而も全面的な配給制の採用と物資不足の下にあつては、如何なる物と雖も闇取引の對象たり得ないものはないので、何でも彼でも手當り次第に盗まれた。(1)まづ上述のやうに貨幣はその貨幣價値の低落に伴ひその犯罪對象としての意味は段々低下して行つた「金より物へ」といふのが窃盗犯人や詐欺師の標語であつた。一九二三年のインフレ時代には伯林のみで年三萬件の金屬類窃盗があつたといはれるが、經濟の安定した二四年には直ぐその十分の一に減少してゐるのである。又戰爭直後のウィーンでは金庫破りの國際的犯罪團體や國際的詐欺師達が流れ込んで來て夥しい金庫破りがあつたが、墺國インフレの年たる二二年になると今まで年數百件に昇つた金庫破りが突如五八件に減少してゐるのである。(2)窃盗の甚しかつたことの一班を伺ふ例として次のやうなことが傳へられてゐる。(a)窃盗の中でも列車窃盗、郵便窃盗が特に多く——墺太利では一四年以降六〇件、六三四件、一一八二件、二三三四件と增加して居りその後も益々甚しくなつたと思はれる——而もそれには乘務員や從業員の加擔せるものが多かつた。獨逸でも同樣で二〇年の普ヘッセン國鐵內の列車盜は戰前に於ける全國の盜犯數の約二倍に達する有樣で、やはり從業員の加擔が多く、殆んどその半數には彼等が關係してゐたといはれる。(b)國有財產や各種救護施設財產の盜難や横領も頗る多く、そのやり口は實に破廉恥で茲でもそれを管理監督すべき責任のある者の犯す場合が少くなかつた。又敗北後は多數藏匿せられてゐた武器が盗まれ、それが政治的鬪爭を始めとして各種違法行爲に濫用せられた。(c) 家宅侵入、別莊荒しを始め野荒し、貯藏場荒し、或ひは狩獵法違反、燃料不足による森林の不法伐採が跋扈し、有名なウィーンの森もこの爲めにとうとう丸裸にされて了つた。

(二) 財産犯の態樣　手段方法（Wie）としては各種の僞計が案出せられた。(1) 特に國民の祖國防衛の戰士に對する親愛を利用する爲め軍服の着用が流行した。軍服着用の竊盗及び詐欺犯人の横行は著しい事實であつた。その他慈善事業、詐欺的乞食、及び各種の資格や身分を誤魔化して行ふ詐欺——例へば出征中の軍人の戰友と稱して遺家族を騙ること等——或ひは自稱傷痍軍人の氾濫が見られた。(2) 又強制經濟の擴大强化に伴ひ切符や證明書の竊取、僞造、賣買が増加した。特に外國旅行に必要なる旅券や證明書のそれが目立つて増へた。(3) パンや砂糖の二重配給を受ける爲めの幽靈人口の出現。(4) 食料その他の必需物資缺乏は詐欺を發達させ、消費者のみならず闇商人すら一杯食はされることが多かつた。更に兵役義務の免脱等に關しても欺罔行爲は横行し、特にその筋への運動費名義による金員騙取が行はれた。(5) 脅迫もこれらと關聯して増加した。住宅難及び物資不足、配給不圓滑の爲め何人も闇をせずには生活できないやうな實情では、この脅迫、恐喝の材料は至るところに轉つてゐた。例へば闇で賣付けて直ぐにその買手を脅迫するといふあくどい方法さへ用ひられた。その被害者には官公吏や勤人が多かつたと思はれるが、事の性質上法廷に現れることは少かつた。(6)暴力的財產犯としては、特に追剝が二十世紀の文明國には考へられぬ程行はれた。且それに用ひられる兇器も銃器、短銃、機關銃、手榴彈の如きものが多く茲にも戰爭の影響は頗る大であつた。實に復員軍人の武器持歸りは社會不安の有力なる一因であつたし、それがなければ狩獵法違反もあんなに甚しくはなかつたらうと思はれる。(7)犯罪方法の最後の特色は戰爭末期から戰後にかけての集團的犯罪（Bandendelikte）の增加であつた。列車荒しに特にそれが多かつたし、文書僞造にも集團的犯罪が見られた。

(三)　如何なる人々が財產犯を犯したか（Wer）。これについては前にも一寸觸れたが、犯罪主體に關して戰前と戰時及び戰後を區別する重大な特徵は、(1)婦人の犯罪が增加し、更に(2)少年の犯罪が激增したといふことである。これについては後段に別に述べるが、十五歲乃至二十歲の少年に特に犯罪が多く、而も前科者の割合が多いのである。一九二一年ウィーンの少年竊盜犯のみについて見ると（二七四二人）實にその七三・六%が前科者で、更に六八%は竊盜の前科をもつてゐたといはれる。然るに一般的にいへば前科者の割合は減少してゐるのであつて、獨逸統計はそれを明白に看取せしめる。即ちそこでは(a)戰前には窃盜犯人の半分が前科者であつたが二一年には四分の一を占めるに過ぎぬことになつて居り、(b)又前科二犯以上の者の割合は戰前の一六・七％(リープマンによると一六・八％)が戰後には九・三％に低下したが、この傾向は戰時中に既に現れてゐたのである　然し斯る變化が見られるのはむしろ當然である。蓋し戰後にかけ る窃盜の增加はいままでそれを犯すやうなことのなかつた人達までも社會的窮迫によりそれを犯すべく餘儀なくされたといふ事實に據るものだからである。

外國人の占むる割合の大きかつたことも注目に値する。特に上述したやうに詐欺、窃盜につきこのことが著しい。一九二二年ウィーン警察で逮捕せられた窃盜犯人の三四％、詐欺犯人の五四％が外國人であつたといふ。

最後に都市と田舍を比較する爲め一九一一年の數を一〇〇とすれば、ウィーンでは一九二〇年には實に三〇七であつたに對し、田舍では二二一である。而も當時の都市の犯罪檢擧率は極めて低かつたから、實際は兩者の開きはもつと大きかつたらうと思はれる(註二)。

(四)財產犯罪は何故に右の如く戰時中及び戰後を通じて增加したのであるか(Warum)。この問題については經濟事情の考察から出發する必要がある。そもそも財產犯と經濟事情の間に密接な關係があることについては既に從來から學者の注意してゐたところであつて、物價特に穀物の價格こ財産犯特に窃盜犯とは併行して動き、これに反して傷害その他の人身犯は物價と逆の動きをとるといふ古典的法則は刑事學者のよく引用するところであるが（Notjahre sind Diebstahlsjahre）、エックスナーによれば戰爭は更めてこの古き法則の眞理性を實證したのであつた。――玆で罪因として重要なのは社會的窮乏、生活難である。而も窮乏はその個人々々に對する飢餓、寒氣といふが如き直接の作用が重要であるのみならず、その國民一般に對する間接の作用が一層大切である。蓋し一般的窮乏は一方犯罪に對する誘惑と他面それを犯し易き機會を增大せしめることにより、その人個人としては必ずしも堪へ難き境遇にあるといへぬ者をも犯罪に引摺り込むからである。かかる窮乏は我々の問題とする時期に於ては物資の缺乏と物價の騰貴といふ形で現れて來た。

(1) 物資缺乏。生活必需品にして潤澤なものは何一つとしてなかつた。國家はこの缺乏に對處する爲め、上述の如く强制經濟を施したが、それにも拘らず物資そのものはどんどん乏しくなり、國民の生活は殆んど絶望的なものになつて行つた。一九一五年には穀粉とパンが配給となり、一六年には砂糖が、一七年には馬鈴薯が、一八年には肉が配給制になつたが、一八年七月に於ける一週間分の一人當り配給量を示すと次のやうになつてゐる（括孤内は一七年七月のそれ）。曰く、穀粉二五〇瓦（五〇〇瓦）、パン六三〇瓦（一二六〇瓦）、砂糖一八八瓦（二五〇瓦）、ヘット四〇瓦（七五瓦）、馬鈴薯五〇〇瓦（――）、肉二〇〇瓦（――）。エックスナーはこれを評して「これでは實に一週間の中六日は肉無し日であり――右の割當量では僅か一度の肉食にしか足りない――穀粉やヘットは料理に使ふ最少限の必要量にも足りぬ位いでありパンも亦一日に一塊しかない」といつてゐる。不足は單に量のみに止まらぬ。その質が亦著しく低下して行つた。更に悪いことにはその配給が確實でなく、人々は次の配給には何をどんな風にして貰へるかまるで當てにできないのである。「ウィーンでは切符制だけに頼つてゐたとしたら文字通り餓死しなければならなかつたであらう。尤もそれも餓死するより前に凍死しなかつたならばといふ假定の上での話であるが」とエックスナーは語つてゐる。かかる狀態にあつては闇取引の存在は假令それがどんなに高い値段であつても、個人にとつては一つの救濟であつた譯だ。食料に限らず大衆はまだ統制されてゐない物へ物へと需要の手を擴げて行つたが、然し大衆がかけつけるときは品物は大方闇に隱れて了つてゐた。かういふ譯で買物は家庭の主婦の最大の氣苦勞の種となり、店頭の長い買物行列は正にこの時代の時代風俗となるまでに至つた。

(2) 物價騰貴。物價は戰爭中徐々に、戰後は急激に上昇した（これについては上述した）。而も我々はこの場合公定價格と闇相場との隔絶を注意する必要がある。(a) 生計費指數（二一年法律により設けられた委員會の作成）によると、物價は一四年を一〇〇とすると戰爭末期（一八年）には約十二倍、その二年後（二〇年）には五十倍となり、その後は正に天文學的數字を示す騰貴振りである。(b) 次に國民の收入を見ると茲にも國民生活の窮乏は歴然たるものがあつた。若し物價が騰貴しても、それと併行して收入も同一歩調で上昇するならば、それは單に貨幣價値が下落したことを意味するだけで、國民生活を困難にする譯ではないのであるが、實際は收入の動きは物價の動きに遲れがちなのである。勿論收入事情はその屬する社會層により一樣でなく、中には反對に食料品業者、軍官廳關係の御用商人、軍需產業關係者のやうに確かに收入が激增したと思はれるものもあるが、定收入しかない官公吏や俸給生活者は相對的に收入激減して居り——第四等官（大學教授、控訴院判事）の收入は二〇年には實に戰前の金屬工業の未熟練工のそれ以下となり「折襟カラーのプロレタリヤ」（stehkragen Proletarier）といふ評語がそつくり當嵌る狀態であつた——金利生活者は最も慘めな目に會つた。貸家貸間業者も度を越えた借家人保護の爲め殆んど收奪同樣の目に會つたといはれる。これに反し農民、農業勞働者は直接食料を握つてゐる興味で物價變動の影響を蒙ること最も少く、その上更に彼等が賣手となる場合には物價騰貴の利益さへ享受できた。勞働者についていへば、熟練工にあつては官公吏同樣相對的に低下し、逆に新米の未熟練工にあつては收入增加を齊した。然しその勞働者の賃金增加率と雖も生計費指數の上昇に比較すると問題にならなかつた。その賃金はこれを實質的に購買力として檢討するときには半分以下に低下してゐたことになるのである。この狀態は二三年の安定期に入つてやつと戰前の水準への恢復を見たのである。即ち國民生活の窮迫は戰爭後半期及び戰爭終了後に於て否定すべくもなかつたのである。

(3) 扨て以上の物價騰貴及び國民收入の實質的減少により示されてゐる國民生活の窮乏と盜犯との動きを比較して見ると——墺國について——兩者は一致してゐることが分る。唯一五年には賃金が低下したにも拘らず犯罪は增加を示さず却つて減少し、又二三年には賃金は戰前以上に昇つたにも拘らず犯罪は戰前の水準以上にあるといふ二點の外、兩者間には緊密なる併行關係が看取せられるのである。而して右の一見背馳するが如き事實も、實は前者(一五年)は召集による人口減少といふ事實により、後者は戰爭の後遺症狀たる不良化の殘存といふ事實によつて容易に說明できるのである。

「窮乏と貧困とは犯罪の源泉である。犯罪の水嵩は經濟的破滅の及ぶ人々の範圍が廣汎であればある程高くなる。これはアシャッフェンベルグの言葉であるが、誠にその通りで、戰時中及び戰後に於ける窃盜その他の財產犯の增加は唯それによつてのみ說明せらるべきであるといふのがエックスナー及びリープマンの結論である（註三）。

註一　Exner, a. a. O. S. 64ff.

註二　戰後の犯罪の急激な增加は軍人の大量的復員と密接な關係がありはせぬかといふ問題がある。然し單に彼等が歸つたことが犯罪人口を增加せしめたといふものではない。蓋し犯罪は實に戰前の二倍以上に增加してゐるからである（戰死者もあるのだから、彼等が歸つても人口は戰前より減つてゐる）。然し復員軍人が、彼等の軍隊での比較的豐富な食生活、自己や家族の明日のパンにつき心を勞しないでよい習慣の爲め復員後犯罪に陷り易かつたことは認めざるを得ない。銃後の國民も在來の生活習慣を忘れ兼ねて犯罪により欲しい物を得ようとする誘惑に負け易かつた。銃後の犯罪を激增さしたものには、更に摸倣といふ事實がある。破廉恥な戰時成金や暴利をむさぼる闇取引者が放置されてゐるのを見ると摸倣心が動く。さうして一度犯罪その他の惡德に慣れると、今度は窮乏が去り收入が戰前に戾り或ひはそれ以上になつても簡單に拋棄することができない。それが通貨安定後も犯罪が減じなかつた理由の一つである。尤も我々は同時に通貨安定は產業界に却つて危機恐慌と失業を齎らしたことを忘れてはならぬであらう。Exner a. a. O. S. 85ff.

註三　エックスナーは更に續いて窮乏が犯罪を生み出す過程について、窮迫がその直接原因となる場合（腹が減つて堪らなくて盜みをした）と、間接の原因となる場合（一般的窮乏の爲め犯罪に對する誘惑とそれだ行ひ易い機會を多からしめる）を分ち、後者だ重視すべきものとしてゐる。かかる間接的影響として彼が揭げるのは、(1)人手不足の爲めその任に非るものが種々の委託信任關係を前提とする職務についたこと、(2)物資不足の爲め今まで誰も問題にしなかつた物にまで價値が生じたこと等々であるが、何れも上來それぞれの個所に於て述べたことのみであるから、その詳しい紹介は省略する。　Exner, a. a. O, S, 86ff.

第四節　人身に對する犯罪（暴力犯罪）

常識的に考へると戰爭は人心を殺伐ならしめ自然殺傷事件を增加せしめるであらうと思はれる。現に上述の如く佛の社會學者タルドの如きはさう論じてゐるのである。然し第一次大戰の結果は何れの國に於ても全く反對の事實を示した。それらはむしろ財產犯と反對の動き――減少傾向――を示したのである（註一）。エックスナーは「物價騰貴の時代は財產犯罪を增加せしめると共に暴力犯罪を減少せしめ、逆に好景氣の時代は財產犯罪を減少せしめて暴力犯罪を增加させる」といふ理論は、戰時犯罪のこの部分についてもその正しいことが實證せられたとなしてゐる。

一　暴力犯一般。典型的な暴力犯たる殺人、暴行、傷害、脅迫、毀棄、公務員反抗の諸罪は皆非常に類似した動きを示してゐる。財產犯が戰時中は徐々に、戰後は急激に增加し一九二一年頃からの食糧事情の改善につれて又少し宛減少し始めたのに對して、暴力犯は反對に戰時中減少し戰後も始めの間は依然戰前の水準以下にあり、一九二一年（墺）若くは一九二二年（獨）頃からやつと少し宛增加し始めるが、それでも戰前の水準より高くはなかつたといふまるで逆の關係が看取せられるのである。戰時中に於けるこの暴力犯罪の激減は、一つにはこの種の犯罪を犯し易い年齡の青壯年が召集によりゐなくなつたといふ事實や或ひは檢察能力の低下等に依るところもあるであらうが、然しそれが原因の全てではない。蓋し出征せぬ婦人や老人の同種の犯罪も同樣に減少してゐるからである。特に獨逸に於ては老年男子の暴力犯減少は刑事統計上もはつきり表れてゐるのである。

この種の暴力犯が減少したことの原因の說明は困難ではない。(1)まづそれらの犯罪が酒精飲料の濫用と密接な關係があることは刑事學的常識であるが、戰時中はその酒類が少くなり、而も値段は高く品質は落ちたので、一般人にはなかなか醉ふ機會がなくなつたのである。これが暴力犯の減少した大きな原因である。リープマンは更に戰後も戰前の水準にまでこの種の犯罪が增加しなかつた原因として、禁酒(節酒)運動の效果を指摘してゐる。彼によると戰前の獨逸では酒を飲まぬといふと學生や勞働者仲間では吃驚されたけれど、戰後には一向不思議に思はれなくなつたといふ(2)然し原則として酒を嗜むことなき婦人の同種犯罪も減少してゐることは——平素から男子に比すれば少いが、それが一層減じた——酒類とは無關係に、榮養不良が更にその原因だつたことを示すものである。「榮養の十分でない身體は衰弱して了つて典型的暴力犯が前提するやうな氣分や力を出せなくなる。」(3)更に又暴力行爲や攻擊は鬪爭心、粗暴、退屈などより惹起されることが多いが、食料や職業に心を奪はれてゐる時にはそんな餘裕はない。これがまた戰時にこの種の犯罪を減少せしめた一因である。

然し又他面に於て榮養不良や窮迫は人を生理的に焦ら立たせ、それがややもすれば官憲や贅澤な生活をしてゐる人達——民衆には それらの人々こそ自分等の窮迫を將來した責任者と感ぜられる——に對する無鐵砲な反抗、暴行となる。かくて上述したやうに、官憲に對する反抗、毀棄罪がこの時代の時代色となつて來る。墺太利を例にとれば一六年の毀棄の激增は同年の食料不安と關係があり、又戰爭終了直後の統計面に於ける減少は實はそれを取締る官憲の權力、實力が低下したことによるものである。二〇年乃至二三年のその增加も、或る程度經濟事情の改善と關係してゐることは否定できぬが、むしろ國家の實力恢復を反映せるものと解すべきである(註二〇)。

註一　Exner, a. a. O. S. 90ff.　Liepmann, a. a. O. S. 33ff.　Yocas, a. a. O. P. 6, 35 et suiv.

註二　名譽毀損についても、リープマン(S. 40 ff.)によれば官憲反抗や毀棄と類似の動きが見られた。それは案外多かつたのである。その社會心理的根底は本文で右の反抗罪や毀棄罪について述べたと殆んど同じである。

二　殺人罪

殺人罪の戰時中の動きには若干特有のものがある（註一）。即ちまづ(1)その減少率は他の暴力犯程著しくない。(2)その減少の原因も主として積極的且强力な男子の召集によるものであつて、他の暴力犯の如き眞の犯罪傾向の減少によるものとは斷じ難い。(3)更に戰後に於て他の暴力犯と異り戰前の水準より遙かに增加した。而もこの增加率は、戰後の混亂による未發覺率の增大とか陪審の寛大化とかを計算に入れると一層大きかつたものと見なければならぬのである。

殺人罪の犯罪心理は傷害罪や暴行罪とは全く別箇のものである。その代表的なものは謀殺であるが、これにあつては傷害致死の如き激情の、從つて又かかる激情を呼び起す酒精の演ずる役目は極めて少いのである。茲に傷害致死と殺人の曲線との相違する理由がある。だが、問題は戰後どうしてそれにあつては戰前の水準を超ゆる如き增加が見られたかといふことにある。これについては、まづ戰爭の殘した次の如き心理的影響を注意しなければならぬ。曰く、(1)自分の生命であらうと他人の生命であらうとを問はず、從前の如き大なる價値が認められなくなつた。(2)戰場に於ける彼を倒すか我が死するかの壯絶なる經驗は自己保存の本能を强烈ならしめた(註二)。(3)而も殺人の動機となるべき事情(社會に於ける憎惡と刺激)は著しく增加してゐる。利得心、政治的動機、復讐心、憤怒等々の種は至る所に轉つてゐる。一家鏖殺事件の續出は獨墺共通の現象であつた。(4)而もかくの如き精神の荒廢は直接戰爭を經驗した軍人のみならず、銃後一般の國民も亦同じことであつた。(5)我々は更に戰爭終結が民間に小銃や機關銃より迫擊砲に至るまでの各種の武器を多量に退藏せしめる結果となつたことをも記憶しておく必要があるであらう。

嬰兒殺、墮胎罪等は別に婦人犯罪として論ずる。

過失傷害致死罪も故意の傷害とは別箇の動きを示し、それら程減少してゐないが、これは婦人その他未熟練な者の職業戰線への進出——例へば未熟練且非力な婦人の交通事業從事——等により說明できることである。

註一　Exner, a. a. O. S. 95ff. Liepmann, a. a. O. S. 33ff.

註二　リープマンはかかる戰場に於ける殺戮の習慣が歸還後も殺人行爲として現れるのだといふ說明は、

それが最も手近い說明であるにも拘らず、それを肯定すべき實證的な個別研究はまだ存しないといつてゐる。彼によれば、例へば近代戰の機械化傾向といふこと一つをとつて見ても、一方交戰者から曾ての白兵戰に於ける如き直接的な殺戮の意識をとり去ると共に、また直接的な殺戮行爲のもつ粗暴化力を薄弱ならしめるといふ面もあり一概に斷じ難いとされるのである。

三　エックスナーは更に暴力犯に關聯する問題として、次の二つの事項を――勿論墺太利に於ける經驗であるが――述べてゐる（註）。(1) 暴力犯としての强盜及び脅迫については、(a) まづ强盜は上述したやうに普通の單純な暴力犯と異り竊盜罪と同じく戰後一時增加したが漸次減少した。(b) 然し脅迫――Erpressung・これは墺刑法上利得目的又は財產的損害をその構成要件とするものでなく、從つて單純な脅迫强要であつて純粹な財產犯ではないのである――は暴力犯の典型的な曲線を辿り、戰後も增加しなかつた。(2) その他必ずしも暴力犯とはいへないが、それに關聯する犯罪にして且墺太利の崩壞期を特徵づけた現象として、社會民主黨政府の組織した國防軍及び兵士・勞働者委員會が檢擧、取締りを始め各種の行政面に加へた干與の伴つた各種の弊害が指摘せられてゐる。混亂は更にかかるものの名稱を僭稱して騙りやゆすりを行ふ分子の出現により一層增大せしめられた。革命で踏み上つて了つた國民はこれらの者の無法極る行爲に對しても泣寢入りするより外はなかつた。

註 Exner, a. a. O. S. 98ff.

第五節 風俗犯

一 風俗犯といふ言葉を性的犯罪の意味に解すれば、それは戰時中統計面では常に減少傾向を辿り、墺太利に於ては一八年、獨逸にあつては一八年若くは一九年に於て最少となつてゐる。さうして戰爭終了後再び徐々に増加を始め二、三年後にはその多くが戰前の水準線を遙かに突破するに至つてゐるのである(註一)。

統計の整備してゐる獨逸について見れば、主なる風俗犯の動きは次の如くであつた。(1) 近親姦は統計的にも可成りの數に達してゐる(一三年五四一件、一八年二二七件、一四年八六二件)。それによると戰時中も餘り著しく減少せず、戰後直ちに増加を始め二一年には戰前の水準を越ゆるに至つた。更にこの種の行爲は明みに出れば家庭の恥辱となるが故にできるだけ秘密にせられ、それが公訴の對象となることは全くの例外であることを考へると、その増加は實際には遙かに甚しかつたであらうと斷定せざるを得ぬ。而もこの増加の種は戰爭中に撒かれてゐたと見るべきでこのことは戰時中十五歲乃至十七歲の少女や七十歲以上の老人にしてこの犯罪によつて處斷されるものが屢々あつたといふ事實により裏書せられてゐる。更に戰後のインフレーション期に於ける經濟的困窮が齎らせる正常なる性慾滿足の困難化、或ひは住宅難により强制せられた狹い一室での全家族の雜魚寢等は、その犯される機會を一層增加せしめたと見られるのである。(2) 幼女に對する猥褻行爲は戰時中は勿論戰後も戰前の水準に達してはゐないが（一三年四八四四件、一八年一〇三五件、二四年三五四七件）、これについても亦食生活の重壓による家庭、學校の無力化警察等の檢察力減退のため發覺を免れたものが多數あるであらうし、更に裁判官が年少者の證言の信憑力に對して警戒する餘り有罪判決を下さなかつた事件もあるであらうことを考へると、實際は統計面の數より多かつたらうと見なければならぬ。但し戰後に於ける性敎育の普及及び少年保護施設の向上により現實に減少したと考へる餘地もないことはない。(3) 猥褻文書圖書に關する犯罪については、それが二〇年、二一年に於て戰前を遙かに凌駕する激增を示したこと（一三年六三四件、一八年七五件、二〇年一一一三件、二一年一一〇〇件、二四年四三件）、及び少年の處罰が戰時中に於て著しかつたことが注目せられる。(4) 重婚罪——これは姦通罪の存在をも示す——は戰後漸增し二一年に最高となり二四年に於ても依然戰前の水準を遙かに超えてゐた（一三年五六件、一八年四六件、二一年二三〇件、二四年一五〇件)。(5)男色も二四年には未曾有の高さを示してゐるが(一三年四〇八件、一八年一一六件、二四年六八九件)、それが戰爭の影響かどうかは判然せぬといはれてゐる(註二)。

註一　Exner, a. a. O. S. 122ff.

註二　Liepmann, a. a. O. S. 45ff, 150ff.

二　我々は先きに風俗犯が一般的傾向として戰爭繼續中明かに減少し、戰爭終了後も直ぐには激增を示さなかつたこと、然し二三年後には激增して戰前の水準を遙かに突破するものが多かつたことを見た。いまやこれらの現象の社會的原因の究明が必要である。以下ヱックスナーの與へた說明を紹介しておかう(註一)。

(一)　戰時中に於ける風俗犯一般の右に見るが如き減少は、大部分の男子が召集せられて不在だつたことを考へると、むしろ當然のことのやうであるが、召集と關係のない婦人の風俗犯や、更に——獨逸統計によると——老年者の同種犯罪に關しても同じことが認められるのを考へると、そこには傷害罪と同樣な動きを看取できるのである。然らばその減少の原因に關しても亦傷害罪等のそれと同樣のことがいひ得られさうに思はれる。そこでまづ强姦について見ると酒精使用の減少、榮養不良、生活問題の重壓による肉體精神の餘裕喪失、歡樂機關、挑發的印刷物等々の國家權力による抑壓等がそれを減少せしめる原因であつた。但し事情は軍隊や軍需產業の勞働者に於ては些か異つてゐた。賜暇で歸つて來る明日を知れぬ命の兵隊達、或ひは後方の兵站線で飽食し乍ら無聊に苦しんでゐる軍人等には風俗犯的脫線をなす條件はなほ十分に備つてゐた。更に賣春婦が今までゐた都會を棄ててこれらの兵站地帶へと移動を試みたといふ事情も存したやうで、都市に於ける風俗犯減少の一因はそこにもあつたといふことができよう。——その他出征軍人の妻の姦通とか俘虜との戀愛とかは戰時中頗るやかましい問題であつた。これらについては勿論統計その他の確實な證明はないけれども、さればといつてそれらが無かつたとは決して斷じ難いのである。

(二)　これに反し戰爭終了直後に於て風俗犯の僅少なりしこと——統計上の數字についていふのである——の說明は些か困難である。蓋し酒精、食料は大衆にとつては依然不足してゐたけれども、復員、國內秩序の崩壞、外國人の氾濫等々風俗を紊すべき要素は多分に存在してゐた筈だからである。この期の風俗犯の統計面に於ける僅少は、決して社會の風俗が眞に正しかつたことを示すものでなく、むしろ逆に餘りに甚しき風俗頹廢こそはその理由であつたと考ふべきである。婦人が簡單に男子に貞操を許すところでは、男性は性慾を滿足せしめるために犯罪を犯す必要はないのである。それに加へて人生の重大事たる結婚といふことも極めて手輕に考へられるやうになつたので（註二）、この時代には平素なら風俗犯人となつたに違ひないやうな手合まで頃合の相手と安直に結婚生活に入ることができた。更に社會的變革と動揺は從來の倫理感と自由の觀念をも震撼し、ひいては風俗違反なりや否やの判斷規準までも激變せしめ、戰前なら當然犯罪とせられたやうな行爲も見逃がされることが多かつた。若し戰前同様の規準で取締つたならば、單に新聞記事だけでも戰前の全風俗犯以上の件數を示したであらうとされてゐる。

（三）右の如き戰爭直後の表面的減少の後風俗犯は急激に增加する。ウルフェンはこれを右の風俗頽廢が改善せられ、被害者が抵抗し告訴するやうになつたからだと說明してゐるが、エックスナーのいふ通りそれは誤りであらう。むしろそれは少年少女に對する犯罪、及び少年少女の犯罪の增加によるところが大きいといはねばならぬ。その證據には少年少女の犯罪率は大人のそれの二倍に昇つてゐるのである。即ち墺太利では少年の風俗犯は人口十萬につき、戰前には二七・六人、一九年乃至二二年には一三・四人、二三年には三六・四人なるに對し大人のそれはそれぞれ一九・一人、七・八人、一九・五人となつてゐるのである。——かかる少年の風俗犯增加については、映畫及び新聞雜誌の影響を看過することはできない。戰時の抑壓から解放せられた新聞、雜誌上では極端な思想の宣傳と並んで猥褻なる文書圖畫が横行したが、特に後者は外國に輸出せられる程の——以前にもなかつた譯ではないが——繁榮を見た。映畫にも同じ傾向が見られた。これらは、刑事學的には、(1) 或ひはそれ自體が風俗犯(猥褻の文書圖畫)であり、(2) 或ひはそれら風俗犯的行爲の賞讃である。更に (3) それは他の風俗犯や墮胎罪、殺人罪、住居侵入罪等に對する誘發原因ともなり得るものであつて、少年に對しては、その作用は特に大きかつたのである。

註一　Exner, a. a. O. S. 103ff.

註二　**Exner, a. a. O. S. 105ff.**

第四章　戰敗國獨墺に於ける婦人の犯罪

我々のこれまでの考察は犯罪現象の全般的動向に向けられ、未だ特定の人口集團についてその犯罪的動向を眺めたものではなかつた。以下些か觀點をかへて戰爭の影響が最も著しかつたやうに見える人々の集團について檢討を加へることにしよう。かかる特別なる集團として第一に問題になるのは婦人であり、更に少年である。まづ婦人犯罪の動きから始めよう。

「戰爭は婦人の生活關係全般に對しても完全なる變化を齎らした。この變化たるや一九一四年の八月には如何なる婦人にも到底豫想もつかなかつたやうな變化であつた。げにやこの戰爭は單に男子の戰爭であつたのみならず、婦人にとつても亦戰場に臨んで武器こそとらね等しく戰爭であつたのである。社會全般を襲ふ窮迫は婦人をも見逃がさなかつたといふだけでなく、むしろ婦人にとつてこそ一層强烈な程度で襲ひかかつたのである」(エックスナー)。即ち開戰の結果婦人は早速夫に代つて一家の生計を立てる義務を負はされたが、それだけでなく更に國民經濟の領域にあつても亦男子の仕事を代行すべき責務を擔ふに至つた。婦人の職場は交通機關、郵便事業から旋盤工の如き機械勞働や農耕にまで及び、殆んど女性の從事しない仕事はないまでに至つた。婦人の生活環境は一變して了つたのである。而も精神的には出征中の夫や子供の安否についての憂慮、戰死者に對する哀痛、子供を扶持する上に於ける心配があり、更に性的不滿――リープマンもエックスナーも婦人犯罪と性生活の密接な關係を强調する――がある。

一　婦人犯罪一般

婦人の犯罪は元來男子の犯罪に較べて極めて少いといふことは各國共通の事實である。戰前の獨逸では大體男子の五分の一、墺太利では八分の一位いであつた。かやうに婦人の犯罪が少いことの理由として學者はいろいろの事實を掲げてゐる。例へば婦人は男子のやうに職業活動をなすことが少く生存競爭に直接さらされてゐないからだとか――尤もこれについては獨逸の職業婦人の數は一八八二年より一九〇七年にかけて倍加したにも拘らず婦人犯罪は却つて減少したといふやうな反對事實もある――或ひは家庭の主婦や娘の地位は社會的に保護された地位であるからだとか（これは上の事由と結局同一に歸着する）、或ひは女性の心理が受動的、消極的で――ウルフェンの所謂犯罪護符――且肉體的にも弱い（暴力犯を犯すに不適當である）といふが如きことがそれである。然し又例へばロンブローゾのやうに反對に婦人の犯罪性の少いことを否定して、男子の犯罪に對應するものとして賣淫の存在を指摘する學說もある。エックスナーによると戰時の諸現象の考察はそれらの何れもがそれぞれ相當の眞理性をもつてゐることを示してゐるとせねばならぬのである。

婦人犯罪を全般的に見ると、獨逸では開戰當初(一四年、一五年)に一應減少した後、十六年から增加に轉じ一七年には激增を示し二三年に最高潮に達したが、その後は徐々に減少して二六年には大體戰前の水準に復した。墺太利では一五年からもう增加を始め且その增加は二一年まで續き――この年の婦人犯罪は殆んど戰前の六倍に達した――その後漸減するに至つた。而もこの間領土分割により婦人人口は一割減少してゐるのである。注意すべきことは婦人犯罪の增加が墺太利では一五年に始まり、獨逸では一七年にやつと戰前の水準を決定的に越えるに至つたといふ相違である。勿論犯罪の動きはその種類により一樣でなく、更に年齡や身分によつても種々の特徵ある動きが見られるが、この點獨逸の統計に基くコッペンフェルスの研究は非常に數へらるるところ多き著作である(註一)。以下彼の研究の結論だけを紹介しておかう。

コッペンフェルスは犯罪を三種に大別して戰前と一九一七年とを比較し乍ら、婦人犯罪の動きを年齡別に考察してゐるが、それによると次のやうな事態が察知せられるのである。

即ち、犯罪全體としては一七年には三十歳以下の年齢層は戰前より惡いが、それより上の年齢層は却つてよくなつてゐる。犯罪の種類別に見れば、まづ國家及び公共の秩序に對する犯罪にあつては一七年度に於て戰前より惡かつたのは少女だけで、對人身犯では各年齢層につき皆減少して居り、逆に財産犯ではどの年齢層も戰前より増加してゐる。――そこから我々は次の結論をひき出すことができる。(1)全犯罪の増加はこれらの三種の犯罪群の中專ら財産犯の増加に基くものである。(2)又全犯罪の増加は專ら三十歳以下の若い婦人の犯罪増加によるものである。かくして結局婦人の戰時犯罪の増加は若い婦人の財産犯の増加に基くものに外ならぬことが認識される。然しこれは右の犯罪群を全體として見た場合の話で、それらの犯罪群のそれぞれの内部につき檢討すればいろいろ違つた動きをしてゐるのである。更にコッペンフェルスによると獨身者の犯罪は増加し、既婚婦人の犯罪は減少したとされてゐる。これを考慮すると婦人犯罪の全體現象を規定したものは獨身の若い婦人のそれだつたといふことにもなるやうに思はれる。

エックスナーは同じことが墺太利にも當嵌つたであらうとなしてゐる（註二）。

註一　Koppenfels, Die Kriminalität der Frau im Krieg, 192;.

註二　Exner, a. a. O. S. 151

二　國家及び公共に對する犯罪

獨逸に於ける婦人の國家公共に對ずる犯罪は全體として著しい減少を示した（一三年より一七年までに五〇%以上）。然しこれは營業取締とか勞働者保護法規等の遵守が戰時中官憲によつて勵行されなかつたこととの結果に過ぎない。これらを除いた主要犯罪――公務員に對する反抗罪、囚人を逃亡せしむる犯罪、騷擾罪、職務犯罪――だけについて見ると決して事情は良好ではなかつたのである（註一）。

墺太利については一般的にはつきりしたことはいへない。政治犯罪――それには女子の關與は平素から殆んどないのだが――が特に婦人に增したやうにも思はれぬ。但し崩壞後は女子の職務犯罪の增加がやや目立つ。その外兵役義務の詐欺的免脱にも婦人が關係して成功してゐる例が多く更に暴利犯や闇取引にも婦人の參加が多かつたといはれてゐる（註二）。

註一　Liepmann, a. a. O. S. 141ff.

註二　Exner, a. a. O. S. 151ff.

三　暴力犯

婦人にあつても典型的なる暴力犯――公務員に對する暴行、脅迫、重傷害――は全て戰時中減少傾向を辿つた。唯後述するやうに、殺人罪のみは婦人にあつても、若干特殊性を示してゐる。

先づ、典型的な暴力犯たる公務員に對する暴行罪の動きを見ると、墺太利では戰時中減じてゐるが、戰後は男子のそれより一層猛烈な勢ひで增加し、二一年以降は戰前の二倍以上になつてゐる。獨逸でも同樣で、而も茲では既に戰時中から（一六年）平和時代の水準を越えて居り、それも三十歲以上の既婚婦人に特に多かつた。我々は茲に「女性犯罪の粗暴化」の著しき表現を看取すべきである。これは女性がその從事する職業を始め社會生活上の地位に於て男性化して行つたことの當然の結果であつて、同じ事實が犯罪にあつては「女性犯罪の男性化」(Vemäunlichung der weiblichen Kriminalität) となつて現れたのである。このことは、特に戰後の獨逸で騷擾や加重的住居侵入のやうな本來代表的な男子犯罪の中に於て婦人の占むる割合が增大してゐる事實や、或ひは又反對に典型的女性犯罪たる誹毀罪が婦人にあつて減少したといふ事實の存在によつても示されてゐるであらう。

この點で特殊な地位を占めるものは過失傷害と殺人罪とである。(1)婦人の過失犯については墺太利には特別な統計はないが、獨逸には存在してゐる。それによると戰爭の後半より過失犯が增加し、就中過失傷害は戰前に比し五〇%も增加してゐる。而もそれは中年婦人に多いのである、これは、蓋し、主として交通機關その他の危險な事業に婦人が從事したこと――未熟練と過長な勞働時間――によるものである。(2) 謀殺は――獨逸では謀殺だけでなく故殺も亦――戰時中減少せず却つて增加してゐる。而もその增加は戰後の時代になつて一層甚しいのである。例へば獨逸では一三年には一〇件だつた婦人の謀殺が一四年には一六件、一八年には二〇件、二四年には三五件となり、二六年になつてもなほ二六件を數へ、故殺は一三年の三一件が一九年には五九件、二四年には七二件、二六年には五八件となつてゐる。墺太利でも同樣で婦人の謀殺は戰前二年間は一〇件、開戰直後の二年間は一二件、次の二年に二〇件、崩壞後の二年は二三件でその後漸減したが、それでも二三年に一八件が犯されてゐる　獨逸の統計はそれらの增加が二十一歲以下及び三十歲以下の比較的若い婦人に著しかつたことを示してゐる。茲にも上述の「人間の生命の價値喪失」が現れてゐる譯で、我々は戰爭の粗暴化作用といふものが、單に直接戰鬪に從事した者のみに止るものでないといふことを見得る譯である。然し我々は更にこの時代に特に多く見られた婚姻に聯關する爭ひによるものも多かつたであらうことを忘れてはなるまい(註)。

註 Liepmann, a. a. O. S.146ff. Exner, a. a. O. S. 152ff.

四　財產犯

婦人犯罪の中でも數量的に見て決定的なものは財産犯であつた。エックスナーによれば、墺國では婦人犯罪の四分の三が財産犯であつたし、一九二〇年には實に全婦人犯罪の九六％が竊盗、詐欺、背任等の財産犯により占められてゐた。――この財産犯の增加は獨墺兩國ともに同じやうに既に一九一五年から始まり、一六年には墺太利では正常時の二倍に達した。特に著しいのは竊盗の增加で――詐欺、背任、横領には動揺がある――それも墺太利に於ては獨逸に於けるよりその速度が大きく一九二〇年には平時の八倍（一三年五九七件、二〇年四九二九件）で最高記錄を示した　その後は漸減し二三年には目立つて好轉したが、それでも平時の數倍（二七八四件）である。戰後五年間の婦人の竊盗件數は戰前に於て男子の犯した竊盗より件數が多いのである。更に獨逸統計によると侵入盗の如き由來男子に限られた加重盗犯にまで婦人の參加が見られるに至つて居り、茲にも婦人犯罪の男性化は顯著であつた。

更に獨逸統計により伺ひ得る細目につき述べると――それは墺國にも妥當すると思はれてゐる――既婚者、獨身者の割合は戰前と異るところなく、更に獨身者では二十五歳以下の若い女性に既婚者では三十歳以上四十歳以下の婦人にこの種犯罪が多い。前者にあつてはおそらくは輕卒が又後者にあつては母親として一家の生計を支へなければならぬといふ重荷がそれぞれ原因となつたのであらう。又前科のある婦人の割合は低下し、詐欺罪では絕對數すら減少してゐる。これを見ると、窃盜の增加は專ら正常なる社會狀態に於ては犯罪を犯す恐れのないやうな婦人が戰時生活の壓力に堪えかねて行つた行爲に依る點が大であるといへるであらう。なほ婦人の贓物犯が增加したことも同じ理由によるものである註。

註 Liepmann,a. a. O. S.155ff. Exner,a. a. O. S. 155ff.

五　風俗犯

この種の犯罪は一般に婦人によつて犯されることは稀れであつて、僅かに淫行媒介がその例外をなす。これは獨逸でも墺太利でも戰時中減少して居り、戰後は獨逸では多少增加したが遂に戰前の水準に及ばなかつたのに對し、墺太利では激增して一九二三年には戰前の二倍に達してゐる。これが右のやうに減少した原因としてヘンチッヒやコッペンフェルスと共にエックスナーも戰時中は男子の出征のため需要が減じたこと、婦人の生活的獨立、更に戰爭中に始まり戰後甚しくなつた婦人の婚姻その他に對する態度、考へ方の變化――性交は極めて自由化され結婚は極度に安直化された――等を掲げてゐるが、リープマンはそれらよりむしろ「警察と檢事局がこの時代には財產犯の激增のため淫行媒介を訴追する餘裕をもたなかつたこと」を重視すべきものとなしてゐる

（註一）。

一般風俗犯の動向と區別せらるべきものとして、我々は更に姦通、墮胎及び嬰兒殺の動きを觀察しておく必要がある。

（一）姦通については墺太利の統計は語るところがないが、獨逸統計によると著しく減少してゐる。然しこの減少はおそらく眞實ではない。夫の出征により犯されても發覺する率が少いこと、更に獨逸刑法上は姦通の處罰には婚姻の解消が條件となつてゐるといふやうな事情がその法廷への出現を妨げたのである。ウルフェンはむしろ「姦通の凱旋行列（Triumpzug des Ehebruches）」について語つてゐるが、長期に亘る夫の不在とか、或ひはその留守を守つてゐる妻を取卷く誘惑的事情――例へば軍需工場での夜業、農家に於ける俘虜との同居生活等々――を考へれば、それは決して諒解できないことではない。戰後に於ける離婚の增大――ウィーンでは三倍に增加したといはれる――はそれを反面から證明するものであらう（註二）。

（二）嬰兒殺及び墮胎が增加したことも疑ひない。尤もこの點についても統計の數字は必ずしも明白でない。まづ嬰兒殺についていへば、墺國統計は語るところがないが、獨逸の統計は明かに戰前の平均より增加したことを示してゐる。即ち一九一三年の有罪人員は一二三七人であるが、一五年には一四五人、一六年は一五七人 一七年は一五二人となり、その後やや低下するが二五年には再び一七一人に昇つてゐるのである。墮胎はこれに反し獨逸統計の上では戰時中ずつと減少し、一三年の一五一八人が一度一四年に一七五五人に增加した外戰時中常に一三年の水準以下に止つてゐる。然しこの減少はおそらくは單なる外見に過ぎない。このことは一九一七年の出產率は五二・五%も減つてゐるのに、墮胎の處罰は一七・六%しか減少してゐないこと(正常なら出產と同じ率で減りさうなものだ)からも推察されよう。戰後には獨統計上も本罪の有罪數の增加が現れてゐる(二〇年一九九〇人、二一年四四〇八人、二五年七一九三人)。墺太利では事情はもつとはつきりしてゐて、一五年には既に戰前の二倍に增加し、一六年まで增加線を辿つた後一時減少を示したが、二十年から再び增加し始め二三年には實に戰前の六倍以上になつてゐるのである。而もこの墮胎罪については我々は訴追機能の低下を注意する必要がある。特に「婦人は自分自身の肉體に對する權利をもつ」といふ標語が掲げられた戰後の時代が墮胎罪の精力的檢擧と兩立しなかつたことは明かであらう。かやうにこの種犯罪が增加した原因としては、まづ夫又は戀人の出征により姙娠中の婦人が絕望の擧句犯したとか、後では生活難とか、工場で慣れぬ勞働をしなければならぬのに姙娠してゐては働けない爲めとか、或ひは工場そのもののもつ頽廢的雰圍氣とかが考へられる。墺國に於ける一六年度の墮胎の增加は主として、既婚のやや年配の婦人のそれによるものであつたが後には夫の歸還前に不始末の片をつけようとする焦りによるものも多かつたであらう。然し以上の如き事實だけでは戰後に於ける途法もない增加を說明し盡すことはできない。エックスナーによればそれは、むしろ右にも一言したやうな戰後の時代を支配した性交の無軌道な放埓化（Zügel-und Skrupellosigkeit）と指導者達の「犯罪と目すべきは墮胎ではなくてむしろそれを處罰する行爲である」といふやうな見解により招來せられたものであるとなすべきである 註三）。

註一　Hentig, Monatschrift für Kriminalpsychologie und Strafrechtsreform, 12 Jahrg. S. 63ff. Deutsche Strafrechtszeitung, 7 Jahrg, S. 350ff. Koppenfels, a. a. O. S. 29f. Exner, a. a. O. S. 157. Liepmann, a. a. O. S. 151.

註二　Wulffen, Das Weib als Sexualverbrecherin, 1923, Exner, a. a. O. S. 158.

註三　Exner, a. a. O. S. 158ff. Liepmann, a. a. O. S. 152ff.

六　賣淫

賣淫についてはそれが增加したといふ意見と減少したといふ意見とがある。多くの人は前の意見で、特に家庭から引離された多數の男子を擁する軍隊の存在はそれを助長したといふのである。これに對し專門家の間ではむしろ後の見解が有力である。後說の理由は戰時中の婦人には賣淫などやらなくても良い働き口がいくらもあつたといふことである。尤も戰爭終了後は男子が大勢復員して來て婦人の職業分野も收縮せざるを得なかつたけれども、この時代になると今度は婚姻外の性交も自己の責任に於て行はれる限り別段恥づべきことでないとする自由思想が一世を風靡した爲めに、依然賣淫に對する需要を增大せしめなかつたといはれるのである（註一）。

茲にはエックスナーに從つてウィーンに於けるこの問題の動きを見ておくことにしよう。それは元來典型的な大都市犯罪であるから、以て全般を推すことができるであらう。

ウィーンは公娼制（Reglementierung）で十八歲以上の獨身者で任意にそれに從事する者のみが風俗警察の監督下におかれ、それ以外の者の職業的賣淫は皆私娼（密賣淫）として處罰せられるのである。――扨て戰時、戰後を通じて見られた著しい動きは公娼の減少と私娼の增加であつた。

(一)公娼は戰前の一八七九人から一〇七〇人に減じ、その後再び增加し始めたが戰前の水準には達してゐない。その社會的原因は衣服や靴の不足の爲め街頭での客漁りが困難になつたこと、及び娼妓などにならなくてももつとよい職業が容易に得られたこと、ポーランド、ハンガリー、ルーマニヤ等の外國からのこの種婦人の移入が止つたこと、軍隊のゐる兵站地への移動等々であるとされてゐる。右のやうにその數は減少したが、然し他面公娼中の年少者の增加と花柳病の蔓延せること（戰後は九六％まで罹病してゐる）、並びに特に戰後公娼中の父無し子（全體の四七％）と離婚者（その割合は二倍になつた）及び上中流家庭より顚落せる者の割合が增大して來たことに注意しなければならぬ。

（二）然し性病の傳染及び靑少年の不良化といふ點から見てより一層重大なのはむしろ私娼である。この私娼は上述したやうに增加したが、その中でも別に正業をもち乍ら機會があれば賣淫を行ふところの所謂社會的賣淫の增加が著しかつた。婦人賣買は殆んどなくなつた。所謂私娼——それは犯罪である——の發見は、その性質上、頗る困難であるが、ヱックスナーによるとそれは戰時中も徐々に增加し續け戰後は戰前の四倍位いの數に達したと見られてゐる。茲でも年少者が多く（全體の約半數を占めた）、その輕卒の爲め罹病率も大きい。次に重要なことは如何なる社會層からこの私　が出てゐるかといふことである。戰前の一九一二年にはその大部分が女中その他下層階級の出身者だつたのに、一九二〇年には官廳や會社の事務員、齒科醫師の技工や助手、士官の夫人等のやうな中産階級出の者が多くなつてゐる。戰爭の社會的經濟的影響並びに反倫理作用の痕跡は明白である。特に戰後の狀態は悲慘であつた。外國軍隊や外國政府の委員、或ひは外國商人等々の派手で且豊富な生活は幾多の淺薄な女性を眩惑せしめ、所謂 Valutamädel（爲替娘）の氾濫を出現したのである。エックスナーは「姦淫は征服者に支拂はれなければならぬ項税である（Die Unzucht ist der dem Eroberer schuldige Tribut)」といふド・サント・ボワンの無慘な言葉にも一部の眞理が含まれてゐると語つてゐる。然しこのやうな賣春婦の增大も墺國貨幣の安定と共に頓に低下して行つた（註二）。

註一　Liepmann, a. a. O.S. 152.

註二　Exner, a. a. O. S. 161ff.

第五章　戰敗國獨墺に於ける少年の犯罪

少年にあつては外部的環境による被影響性が特に著しい。從つてその犯罪や不良化についてもこの環境的要素の重要性が注目せらるべきこと正しく「不良兒童があるのでなくて不良な事態があるのみだ」といふミュンスターベルヒの言葉の通りである。而してこの環境條件の中でも家庭のそれが特別重要なことは既に刑事學的常識といつてよい。ところが戰爭は恰もこの家庭を根抵から震撼せしめたのである。かくて少年犯罪は戰爭中物凄い增加を示した。

一　少年犯罪の一般的動向

例によつてまづ獨逸の刑事統計から眺めると（註一）、少年の有罪人員は一九一四年に一時減少したが（一三年五四一五五人、一四年四六九四〇人）、翌一五年にはもう增加傾向に轉じ（六三一二六人）一八年には九九四九三人となり戰前の殆んど二倍に達した。この一九一八年を最高點とし、その後は多少の起伏はあるが――例へば二年〇には九一一七〇人で殆んど一八年のそれに近い――徐々に減少し、一九二四年以降は戰前の水準以下（二四年四三二七六人、二五年三二四七七一人）に降つて來てゐる。茲に注意すべきは他の犯罪現象は一般に一九二三年の インフレーションの年が最高點なのに少年犯罪に限つてさうでないといふことである。然し乍ら我々はこれから直ちにインフレーション期の少年犯罪は本當に戰時中より少かつたのだと斷定する譯には行かぬ。何となればこの刑事統計面に於ける少年犯罪の減少には、刑事責任年齡を十二歲から十四歲まで引上げ、更に刑罰を教護處分に對して副次的地位におくことにした少年裁判所法（註二）――二三年の二月に制定され七月から施行せられた――の實施が大いに關係してゐると考へざるを得ないからである。同法實施の結果從來なら當然刑事裁判所に於て有罪判決を言渡された筈の少年の頗る多くがその法廷に現れることを免れたのである。――翻つて犯罪全體に對する少年犯罪の割合を見ると、戰前には一〇％弱であつたものが一九一七年には殆んど三分の一に增加してゐる（少年犯罪は二倍に增し成年者の犯罪は二分の一に減少した）。これには勿論成年者の側に於ける召集による人口減少といふことも響いてゐるが、なほ當時に於ける少年犯罪の增加速度を伺ふに足るであらう。――更に戰時に於ける少年犯罪の態樣を明かにするために少年（十五歲乃至十八歲）と成年女子（十八歲乃至五〇歲）及び老人（五十歲以上）の犯罪をそれぞれ一九一三年と一九一七年の兩年について比較して見ると次の如き相違がある。卽ち國家公共に對する犯罪は成年女子及び老人にあつては共に著しい減少（婦人は二分の一以下、老人は三分の一に減じた）を示したが、その代り戰時特別法規違反は激増してゐる。少年では反對に國家公共に對する犯罪が増加し（一九八一件が二六二五件になつた）戰時法規違反は餘り目立たないのである。又財產犯罪に關してはどのグループも共に增加が著しいが、その增加率は少年は婦人と老人の中間に位してゐる（老人は一四・六％、少年は五七・四％、婦人は八二・二％增加してゐる）。

次に墺太利について見ると（註三）、茲でも少年の犯罪は、既に一九一五年から增加し始め――ウィーンでは逮捕された少年の數が五〇％も增した――一七年には少女の有罪人員は實に戰前の三倍に達した。少年のそれは二倍に足りぬ。少年と少女とでかかる相違が見られるのは犯罪的に見て重要な年齡層の少年が召集せられたことに基く。然し少年犯罪に對する戰爭の眞の惡影響はむしろ戰後に始まつた。戰前には平均一八三六人の有罪少年があつたが、二〇年には八五九六人となり、實に四倍以上となつてゐる。その後は漸次減少する傾向に向つたが、それでも（一九二七年現在）戰前の狀態とは程遠い有樣なのである。――然らば少年の不良化は何年から增加し始め、又何年が最高であつたか。ウィーン警視廳の少年保護官の報告に基いて考へると、全體として一四年には少年犯罪は減少し一五年度から增加し始めてゐる。然し年齡に段階を附して見ると年少者（十歳乃至十四歳）の犯罪は既に一四年から增加し一五年には激增してゐること、それ以上の年齢層（十四歳乃至十八歳）の少年にあつては一四年度には減少し一五年度もなほ戰前の水準以下に止まつてゐて、一六年度からやつと增加し始めたことが判明する。これは獨逸でも同樣であつたやうで、リープマンも「年少の少年群、即ち未だ徵兵適齡に達しない學校卒業者並びに就學義務年齡の者にあつては犯罪增加が既に早くから始まるといふ一般的印象」について語つてゐる（註四）。何故かかる年齡による相違が生ずるかはこれを知るに難くない。開戰當初の良き影響といふものは、この大きな出來事の意味を十分に諒解し得る程に成熟した年配の者にのみ現れ得るのであつて、それ以下の年齡の者には開戰第一日から戰爭の少年教育に及ぼす害毒が見られたのである」（エックスナー）。――次に少年犯罪の最高期は有罪判決數から見れば一九二〇年である。但しその前年の一九年が最高だつたと思はれる節もある。尤も一九年の告發件數は少くとも男の子については既に減少してゐる。これに措信する限り我々は父兄の復員は一部の不良少年にとつてはよく作用したのだといひ得るであらう。

註一 Liepmann. a. a. O. S. 97ff.

註二 佐伯「獨逸に於ける少年保護の沿革と現狀」少年保護論文集（昭和二〇年）三六五頁以下。

註三　Exner, a. a. O. S. 167f.

註四　Liepmann a. a. O. S. 101. Hellwig, Der Krieg und die Kriminalität der Jugendlich n. 1926

二　次に我々はこの少年犯罪の悲むべき增加現象に社會的心理的說明を加へなければならぬ。而して少年の成長にとつては社會的環境、殊に家庭、學校、交友及職業が極めて大きな影響力をもつものであるから、我々の說明も亦當然にこれらの戰爭中に受けた變化から始まらねばならぬ。而もこの際我々の考察は單に狹義の犯罪のみならず廣く一般的な不良化に向けられる必要がある。以下の所論はかかる問題についてエックスナーの與へた解答の紹介であるが、それぞれの場所で指摘されるやうにそれは獨逸にも亦大體その儘當嵌る優れた見解であると思ふ。

（一）家庭に於ける變化　この變化の第一は父兄の出征といふ事實である。これは子供達にとつては威嚴のある敎育者の喪失を意味する。母親は父兄に代つてこの敎育を引受けなければならぬのであるが、多くの母親は優し過ぎて子供の我儘を抑へ得ず、父親のやうな威嚴がない。而も父兄の出征によつて一家の働き手を失つた多くの家庭では母親は自ら働いて一家を養はねばならぬので今まで程にも子供の面倒を見てやれぬ實情にある。それに戰場にある夫や子供の安否を氣遣ふ心持は一刻も去る時がない。一日中慣れぬ務めでへとへとになつて歸つて來る母親にはその歸宅を待兼ねてゐた子等の子供らしい希望や不平に耳を傾けこれに元氣をつけてやるだけの餘裕があらう道理がないのである。更に物資不足と配給統制が齎らした買物行列も母親を家庭から遠ざからせる大きな原因であつた。それに子供を連れて行けば行くでそれがまたその子に惡い作用を及すのであつた。――家庭はかうして子供達には魅力も權威もない存在に墮して行つたのである。

而も惡いことには、かういつた母親達の中には屢々飮んだくれの働くことが嫌ひで而も品行の惡い女性が少くない。戰時中ある諷示新聞に戰せられた不良少年の畫の下に「父親は戰場に、母親は映畫館に」と題したのがあつたが問題の一面を示すものである。況や母親が亡くなつたり或ひは繼母であつたり、祖母だけだといふことになるといよいよ面倒である。――更に父親が戰死しようものなら事態は一層惡化する。不良少年少女中父なし子の占める割合は著しく增加し、墺太利では一九一五年の有罪少年の二九％が父なし子であつた（戰前は二一％）。男の子と女の子とでは男の子の方が父親の不在による惡影響が大きく――彼等には特に父親の嚴格な抑制が必要なのである――女の子の不良化には父親の應召は大した原因力を發揮してゐないとせられてゐる。

最後に年少の子供程早く不良化したことの理由は、上述の如く正に家庭的保護の最も必要なもの程家庭の無秩序により直接害せられたといふことに外ならぬのである（註）。

註　Exner, a. a. O. S. 173ff. Liepmann, a.a. O. S. 114.

(二)　學校に於ける變化　國民學校は尋常科、高等科共に戰爭による機能障碍を蒙ることの最も著しかつたものの一である。一九一八年の墺國議會では後の文相グロエッケルの提案があり、更に委員會でも學校制度の頽廢について報告が爲されたが、それは誠に悲しむべき狀態にあつた。まづ學校の側から見ると教師の相續く應召と校舍の軍用轉換の結果部分的又は全面的に授業を停止する學校が續出し、さうでなくとも授業時間は短縮せられた。後に殘された教師は老人で而も負擔過重の爲め、自然代用教員、特に婦人の代用教員が增加せざるを得ない。ところがそれが亦男子兒童の教育を危機に陷れるのであつた。その上教師は本來の教育任務以外に軍事的行政事務――例へば公債募集、各種の生活必需物資の切符や購買票の分配、金屬供出運動、慰問品募集等々――に動員されることが多く假令能力に缺陷がなかつたとしても兒童を教育する十分の時間を持たなかつたのである。

　兒童はまた兒童で樣々な物資の回收や募集に追ひ使はれたのであるが、この兒童使用が又屢々非常に有害な副作用を伴ふのであつた。例へばできるだけ澤山供出して先生に褒められようと競爭する結果、屢々親達に無理をいひ時によると盜さへしかねない子供が出た。而も學校では子供達のかかる虛榮心を煽る爲めメダルとか徽章とかまで利用したのである。 また夏から秋の收獲期にかけては收獲勞働への動員がある。 ケルンテン（墺）地方では一七年の夏學期には十歲以上の學童は半年間登校しないでよいといふ指令さへ出された。 冬はまた冬で石炭不足の爲め休校が多く、更に戰時に於ける必然的現象ともいふべき流行性感冒の爲めの休暇が加はるといふ有樣で、 授業は殆んど受けられない有樣であつた。 學用品も亦單に價格が騰貴するだけでなく紙不足の爲め大部分の兒童には入手不可能となつて行つた。――而も怖るべき生活の窮乏がある。 上掲のグロェッケルによれば墺國學童の四分の三は極度の榮養不良の爲め肉體のみならず精神の發育が甚しく阻害せられてゐた。 衣類がないので學校にも行けず終日寢臺に寢たままでゐなければならぬ子供すら稀れではなかつたのである。

學校もかくて指導力を發揮できなくなり、少年の不良化は滔々として進んで行つた。而してこのことは兒童の粗野化、 虛言癖、 反抗心、 學校內での竊盜の增加、 性的早熟、 怠惰等の顯著なる增加となつて現れた（註三）。

註 Exner a. a. O. S. 175ff. Liepmann, a. a. O. S, 87 ff. 106 ff. 事態は獨逸でも同樣であつた。リープマンは獨逸でも下は國民學校から上は大學に至るまで實質のある仕事をする能力はなくなつて、 徒らなる空語と修飾が横行するに至つたことを述べ、衣食の點に於て粗惡な代用品で甘んじなければならなかつたやうに、敎育に於ても亦學校は「代用品、即ち有害な若くは榮養のない、無味か又は不味い精神の糧たるに過ぎなくなつた」といつてゐる（S.89）。

㈢　交友と職業の變化　家庭と學校がこのやうに子供達に對する影響力を喪失すればする程交友と職業の重大性は增加して來る。この點ではまづ少年達を支配した從前と全く別個の氣分があつたことに注意しなければならぬ。特にウィーン邊りでは上述したやうな東方からの避難民の流入が外來的要素を增大せしめ、子供達は皆今まで自分達と最も緣遠かつた商賣（闇取引）を覺え込んで了つたのである。更に子供達が學校を出てから入り込む修業奉公も學校と同じ困難に直面してゐた。即ち主人や親方が出征する爲め商店や工場の閉鎖が續出し、中には主人の妻君が女手で經營を繼續するものもあるけれども、妻君では能力及び威嚴に於て缺くるところが多く經營も不完全なることを免れないのであつた。また戰爭は多くの家庭の家族數を減少せしめ、或ひは更に經濟上の理由から家事使用人の大量の失業を齎らした。これら全ての失業者は軍需產業の補助勞務者となるか或ひは浮浪人となる外はない。かくて少年の頻繁なる轉職、移動が現れたが、それが少年に惡い影響を與へたことは明かである（註）。

註　Exner. a. a, O. S. 177ff.　Liepmann, a. a. O, S. 85.

三　犯罪的誘因

家庭や學校の上のやうな缺陷も、若し同時に少年を取卷いた新しい犯罪的誘惑――新なる犯罪の機會と刺戟――がありさへしなかつたならば、あれ程の惡化は齎らさなかつたらうと思はれる。正しく「機會が盗人を作る」("Gelegenheit macht Diebe.")のである(註一)。かかる機會、誘因として次の如きものが考へられる。

第一は信任關係を前提とする職業への少年の採用である。これは精神の十分固つてゐない者にとつては正しく犯罪への堪へ難き誘惑を包藏してゐる。少女にとつても早過ぎる就職は有害である。更に少年少女の工場勞働、就中少女の深夜業の有害なことはつとに戰前から知られてゐたにも拘らず　戰時中は軍國の要請として容赦なく强行せられた。次ぎに家事の手傳ひは、決してそれ自身が有害な譯ではないが、戰時中はやはり少年に有害に作用したことが少くなかつた。例へば買物行列に立つとか、食料買出しの爲め遠方まで出かけるとかすることは、その間にいろいろな犯罪の手口を聞嚙り或ひはその實行の相談を成立せしめたりするのであつた。

かかる誘惑的環境があるところに犯罪へと驅立てる刺戟と衝動は極めて强烈である。その第一はいふまでもなく飢餓であるが、この直接肉體的にこたへる困窮に對して少年の抵抗力は成年者よりもずつと弱い。質量共に低下して行く食料事情と發育盛りの肉體の增大する要求との間に存する矛盾は成年者に見られぬ困難を意味する。かやうに飢えた少年にとつては、その飢を滿し得る物を眼前に見乍ら、而もそれを盜つても捕る心配がなく、更に親からそれについて叱られる虞れさへもないといふ場合に、なほその誘惑に抗せよといふことは殆ど不可能であつた。ウィーンの少年司法補助主任グレーテ・ロェール（Grete Löhr）は戰時の少年犯罪中「最も典型的なものは少年少女の飢に基因する頻繁なる竊盜であつた」と語つてゐる。かくて犯罪の客體としては食料が第一に狙はれ（直接的食料盜）、若しそれがなければ何でも手當り次第に盜まれ、それは直ぐ捨値で賣られて食物に替へられた（間接的食料盜）。また親達が子供を敎唆して畑の作物や鐵道倉庫の石炭を盜ませることもあつた。少年の不良化、特に盜犯の增加の原因として右の直接的飢餓の外に一般的な道德的頽廢を揭げる說もあるが、少年の直接的または間接的竊盜はそんなところまで持つて行かなくとも、少年自身の肉體的窮乏によつて十分說明できるといふのがエックスナーの意見である。（註二）そしてこの意見を支持するものとして、當時の子供は十二歲乃至十四歲になつても八歲乃至十歲位いの體格しかないので、警察醫は犯罪少年の年齡判斷に困つたといふウィーンの話や、或ひはアルプス山中の孤兒院で新しく入院した子供達に戰前調製された年齡別の衣服を着せるとその年齡相當のものでは大き過ぎて困つたといふ話等が引用されてゐる。

右と反對に一部の少年少女には良過ぎる經濟狀態が誘惑の種となるものもあつた。窮迫と同樣に裕福も亦不良化の惹起につき責任を負はねばならぬ。このことは獨逸でも墺太利でも同じやうに種々の事例により實證せられたところである（註三）。例へば軍需工場等で少年としては不相當に多額の賃金を貰ふことは、多くの少年に對して家庭からの獨立感と過度の自意識の成長を齎らし、更に享樂癖と贅澤癖を植えつけ、彼等の脫線の機緣となるのであつた。

少女にはまた別種の危險がある。出征前のまたは賜暇で歸鄕中の兵士との脫線行は屢々姙娠、墮胎といふ結果を伴ひ、若くは性病の蔓延を來した（註四）。

註一　Exner. a. a. O. S. 179. かやうに少年の戰時犯罪に於ける環境的要素の重大性からリープマンは更に注目すべき結論を抽出してゐる。それは戰時の不良化現象は心理的缺陷のない子供達の間に廣まる傾向があつたといふことである。さうして「かやうに心理的缺陷のない者の增加は正常な關係の下に於ては正しく身を持したやうな人も惠まれない戰時に於ては正常な道から逸脫するといふ事實に由來する。環境的事情が全體として惠まれてゐる平和時代には不良化する者は主として心理的に缺陷のある人々である。　然しまたこのことは右の戰時に於ける心理的缺陷なき者の不良化はその有害性の度合に於て輕く矯正が容易であるといふことを示すものである。といふのはそれらは單に外因的なものに止まり內因的不良化要素の如く深く人間の中に根を張つたものではないからである」とせられてゐる（Liepmann, a. a. O. S. 105.）。　これはいふまでもなくウイルマンスの見解と同じである。　なほリープマンによると學齡を過ぎたものでは、男子の不良化には內因的なものが多いに對し少女では外因的なものが優つてゐるといふ事實がある。

註二　Exner, a. a. O. S. 182. リープマンは同じ問題についてもつと纎細な心理分析を試みてゐる。彼によると「竊盜は普通經濟的困窮、即ち飢餓や明日のパンについての心配から說明されるのではない。そんな狀態はむしろ通例一つの興奮狀態を準備するに過ぎない。この興奮狀態に於て、現狀に對する不快感が强い衝動を伴つた得らるべき滿足の豫感と結合するのである。そしてかかる場合に於ける過度の快感と不快感は品行方正なる人間の强固な障害觀念すらも打負す力をもつものなのである」（Liepmann, a. a. O. S. 111.）。

註三　Exner, a. a. O. S. 183, Liepmann, a. a. O. S. 95. 尤もリープマンは他の個所ではフオイクトレンデル（Voigtländer）やコエーネ（Köhne）と共に高賃金はそれ自體としては別に何等有害ではないといふことを强調してゐるが（S.104.）、これはむしろ自明的のことだといふべきである。問題はむしろこのそれ自體として無害なる高賃金も、一定の社會的條件の下に於て、且一定の主體に對する關係に於ては十分有害たり得るといふことに存するのである。

註四　Exner, a. a. O. S. 184　獨逸でも統計上は少女の性的墮落、賣淫は減少してゐるが、それは外觀だけで實際は性的早熟と性病の蔓延が見られた（Liepmann, S. 106.）。

四　少年犯罪の理解は更に戰時の國民全體を包んでゐた精神的雰圍氣とその子供に對する影響とを見なければ未だ十分とはいへない。戰爭は子供の全精神をも根抵から振り動かす。而も開戰當初の感激は成人にあつては活動欲に現れ、子供ではその遊戲の中に現れる。兵隊ごつこ、戰爭ごつこ、或ひは軍隊式の秩序と元氣の摸倣は少年の世界を風靡した。然し刑事學的にはこの感激も暗い反面を伴はないではゐない。始めの出征兵士見送りや慰問はやがて自分も英雄的な少年兵士として戰場で手柄を立てたいといふ希望となり、それは更に家出や持出し或ひは旅券僞造等々のやうな常軌を逸脱した行爲にまで發展する。かくて生ずるものは少年の浮浪と出奔の增加である。而も戰爭ごつこは段々眞劍になり、鬪爭は一層粗暴になる。面白半分の襲擊ごつこは何時の間にか憂慮すべき姿をとり、團體が結成せられ、武器が盜みとられるやうになる。

なほ少年の犯罪と空想活動とが密接に關係するものであることも從來からよく知られてゐると

ころで、例へばウルフェンは「餘りに强く壓倒的な子供の空想活動はややもすれば彼に怖るべき犯罪的觀念を聯想せしめるから危險である。少年犯罪者にあつてはかかる空想が過剩なるに拘らず、他面それを抑制すべき同情心の發育に役立つやうな空想は缺けてゐる」といつてゐるが、エックスナーも亦戰時中の少年の出奔は勿論、戰時中特に著しかつた少年の犯罪團體の發生――始めは遊戯の爲め結ばれた無邪氣な團體が容易に巧妙な組織をもつた侵入犯罪團體に轉化した――もこの少年の空想性により說明し得るとなしてゐる。

最後に注意しておくが、戰爭當初には利得目的からでなく、むしろ戰線に慰問品を送りまたは献金を爲すための少年窃盜が少くなかつた。而もそれらも虛榮心に基くといふよりも、むしろ戰場にある父兄に對する純眞な愛情からの行爲が多かつたのである。然しかかる純眞な、それ自體としては深く責められぬやうな動機による行爲も、少年に關する限り、容易により惡質の行爲に顚落する第一步となり得るのである(註)。

註　Exner a. a. O. S. 184ff. Liepmann, a. a. O. S. 111.

五　戰後の少年犯罪

戰爭の終了後はまづ出征中の父兄の歸宅によつて敎育上の第一の缺陷が除去せられたし、更に一般復員者は失業手當等を當にして直ぐ働かうとはしなかつたので勞働の機會も少年にとり差當り有利であつた。だから外見上少年の社會的地位はむしろかへつて良くなつた位いに見えた。然し少年達が戰爭により蒙つた害毒はさう手輕に恢復できる程の生優しいものではなかつた。それに間もなく熟練工による少年工の追出し（少年工の失業）が始まり、次いでインフレーションの困難が加はつて來る（註）。かくして少年の窃盜犯は物凄く增加して來た。墺國では一九二〇年の少年の窃盜罪は一九一三年のそれに比し實に七倍に增加してゐるが、而もこの間に少年人口は一三％減少してゐるのである。我々は更にこの時代の少年犯罪は不發覺に終る率が特に大きかつたことをも顧慮しなければならぬ。蓋し公衆の注意と官憲の訴追力とは前代未聞の程度にまで減少してゐたからである。この間の事情を理解するには當時の時代風俗ともいふべき馬鈴薯及び木材、石炭窃盜を想起すれば十分である。馬鈴薯を配給所へ運ぶ電車から少年達がどんどん薯を盜んでは持參の袋に詰め込むのを誰も咎めないどころか、車掌などは逆に小さくて背の屆かぬ子供達に薯を投げ與へたりしてゐたといはれる。これらの窃盜はおそらく親達がそそのかしてやらせたもので、かやうにそれを戒むべき親や監視すべき役目をもつた大人達から逆に唆されたり幇助されたりしたのでは、子供達の正義感、法感情といふものが混亂するのは當り前だといはれるのである。

更にこの場合模倣の演じた役目も否定することはできない。世間が他人の財産に對する尊敬を失へば少年もその眞似をする。子供の間にスリや窃盜が氾濫したのは勿論、九歲や十歲の子供で强盜として起訴される者や、或ひは複雜な侵入盜や手の込んだ詐欺をやつてのける少年が續出した。また大人の失業手當目當の怠惰な生活も少年に傳染して、そこから闇商賣に顚落する者も少くなかつた。少年の闇商賣で特に多いのは煙草のそれで、煙草一箱で結構一日分の勞働賃金に相當する利益が擧がるのであつた。また中間搾取的なブローカー商賣も行はれ、それは學校內にまで侵入してゐた。――かくの如き事態の生み出すものは少年達の濫費と贅澤癖であり、また少女達の贅澤さして吳れるものへの完全なる叩頭である。少年少女の輕卒はその享樂欲と結合して、それらを脫線せしめたのである。

戰後の社會的環境と風俗犯との關係もこれらから看取できるであらう。戰後及びインフレーション期に於ける少年の性的不良化は彼らの間に於ける性病、密賣淫及び墮胎の增加により實證せられてゐる。但し少年に於ても强姦凌辱のやうな固有の性的犯罪は戰後はむしろ著しく減少して居り、二三年頃から――即ち窃盜の波が退いてから（墺太利の話である）――やつと再び增加し始めた。その理由は少年の不良化は飢餓の支配下に生じたものであるが故に窃盜や賣淫の增加を齎らしたけれども、體力過剩の表現たる强姦、凌辱を增加せしめる力はなかつたのだといふことに求められる。故に飢餓の脅威が去るや否や、教育の缺陷の爲めその前から野放圖になつてゐた少年達は、放埓を極むる映畫や出版物の影響もあり、又大人達の惡い例を見せつけられたりして、すつかり脫線して行つたのである。この後の點については婚姻關係の紊亂、離婚の流行及び住宅難の競合が特に大きく影響した。例へば離婚した男女が住宅難の爲め、それぞれの新しい相手や子供と共に依然同じ家屋に住むといふやうな事態が屢々見られたが、かかる關係で子供が不良化しなかつたとしたらむしろ不思議だといはねばなるまい。

而も更に悲劇的なことは、このやうに恰も少年犯罪が增加した時代に、それに對し方策を構ずべき機關は逆に減少し無力化して行つたといふ事實である。尤も獨逸では戰時中からの少年教護事業は、特に婦人の積極的參加により、大いに努力せられたけれども、戰爭の現實の苛烈な要求はそこでも少年保護の十全な發揚を阻害したのである。

註　Exner, a. a. O. S. 87 ff. Liepmann, a. a. O. S. 125ff.

第六章　佛蘭西、英國その他の諸國の戰時犯罪の動向

我々は上來獨墺兩國に於ける前大戰の犯罪現象についてやや詳細なる概觀を試みて來た。然らば他の交戰國や中立國では事態はどうだつたであらうか。この點に關しては エックスナーやリープマンも若干宛言及してはゐるが、その何れも必ずしも十分でなく、それに佛蘭西に關しては全然觸れてゐない。そこで我々は次ぎにヨーカス（Yocas）の「歐洲戰爭の犯罪に對する影響」（L'influence de la guerre Européenne sur la criminalité, 1926）を見ておくことにしたい。彼はそこで佛蘭西を中心としてベルギー・英國・伊太利・ルーマニヤ等の諸國について前大戰の犯罪に及ぼした影響に對する檢討を試みてゐるのである。我々はそれによつてこれらの國に於ても亦獨墺兩國に於けると殆ど符節を合するが如き犯罪現象の動きがあつたことを知る。唯異るところはそれらの國には敗北せる國家の如く、降服とそれに續く社會的經濟的崩壞の時期が存しなかつたおかげで、戰後の犯罪增加率も亦獨墺兩國に於ける程に激烈ではなかつたといふことである。

茲では比較の爲めに、主として佛蘭西と英國の二國についてヨーカスの所論を紹介し、ついでに一

二の他の交戰國や中立國の樣子に觸れておくことにしたい。

一　佛蘭西に於ける戰爭と犯罪

佛蘭西では一九一四年から一九一八年にかけては刑事統計の調製なく、僅かに一九一九年度の統計中に右期間の犯罪現象について報告せられてゐる程度である。その報告を見ると、事件の總數は戰前（一九一三年）に比し戰爭中は減少して居り、特に一九一五年には戰前の約半數に過ぎなくなつたこと、然しその後漸增して一九二〇年には戰前の水準を越えるに至つたことが分る。

然しヨーカスはこの變化から何等かの結論を抽出す場合には細心の注意が必要だとなしてゐるといふのは戰時中の犯罪件數は、(一)當時北部十七縣が敵の侵冦するところとなつてゐたこと、(二)男性にして犯罪を犯し易い年配の者は大部分兵籍にあつて通常裁判權の外にあり、從つて彼等の犯罪は刑事統計には現れてゐないこと、(三)同じくこの期間中佛國全土に戒嚴令が施かれてゐた爲め私人犯罪と雖もその少からざる部分が軍法會議の裁判權に服してゐたこと、(四)犯罪鎭壓機關の機能障碍、國民の餘裕喪失の爲め告訴告發が減少したこと等々の理由により、統計上の數字として現れない部分は極めて大きかつたらうと思はれるからである。彼によると比較の基礎となし得るものは一九一九年と一九二〇年との數字だけである。而もその一九年度と雖も司法機關の能力は未だ十分恢復して居らず、加ふるに同年十月二十三日の恩赦令は少からざる犯罪の訴追を停止せしめたであらうと思はれるから、眞に正確に犯罪を表現するのは二〇年の統計のみだといふことになるのである。――そこでこの二〇年を一三年と比較して見ると、二〇年の事件數（六〇四四六八）は一三年のそれ（五九一六一二）に比し一三〇〇〇件を增加してゐる。然しこの增加は主に戰時中の必要に應ずべく發せられたる各種の一時的法令の違反――それらはその頃もまだ適用されてゐた――によるものであつて、二〇年度のこれら一時的犯罪は實に二八〇〇〇件の多きに昇つてゐたのである。これらを控除して普通犯罪だけについて見ると、犯罪は二〇年に於ても一三年と比較して決して增加して居らず、逆にむしろやや減少してゐるのである註。

とはいふものの、勿論、どの犯罪もが全て一樣に減少傾向を辿つた譯ではない。上來見て來た獨墺兩國同樣中には大勢に抗して逆に增加を示した犯罪も勿論ある。犯罪種別にその動向を見ると次の如くであつた。

註　Yocas, L'influence de la guerre Européenne sur la criminalité p. 12.

（一）まづ犯罪の大勢を支配する輕罪について眺めよう。ヨーカスはそれを怠惰無力的犯罪（Délits de paresse et d'abandon social）風俗犯（Délits contre les moeurs）暴力犯（Délits de violence) 財產犯 (Délits contre la propriété) 誠實に對する犯罪 (Délits contre la probité) の五つの犯罪群を分つてゐるが、それぞれの動向は大畧左の如くであつた(註一)。

(1)怠惰無力的犯罪　これに屬するのは浮浪と乞食とであるが、兩者共に著しく減少し戰前(一三年)に較べて浮浪は六二%、乞食は二一%に減少してゐる(戰時中はもつと減つてゐたであらう)。かかる浮浪や乞食の減少原因は當局者によれば、戰爭の齎らせる經濟事情の變化、特に勞賃の昂騰と勞働者生活の改善であるとされてゐるが、ヨーカスは更に戰爭がこれら怠惰な人間に與へた道德的影響を忘るべきでないと說く。即ち戰爭はこれらの人々をも感奮せしめ、且良い賃金を貰へる勞働の機會は彼らに働いて生きる方法を敎へ、またより快適で裕かな生活を與へた。而も一度かうして身につけた良き慣習は戰後の惡條件の下に於ても彼らを再び元の生活に陷ることから守つてゐるのだとされるのである(但し戰後緩慢乍ら浮浪、乞食の增加傾向があつたことは否定できぬやうである)。

(2)風俗犯では公然猥褻 (Outrages publics á la pudeur) 犯姦罪にして十六歲未滿の者の犯したるもの (Attentats à la pudeur par un mineur de seize an) 不品行挑發 (Excitations à la débauche) などは何れも激減したが、逆に姦通罪だけは三五〇七人から四八四〇人に增加してゐる。茲でもかかる動きの原因が問題になるが、我々はまづ風俗犯を（一）婚姻關係の內部に於て夫婦間の信頼の裏切りとして行はれるものと、（二）かかる法律關係と無關係に犯されるものとに區別する必要がある。戰爭によつて最も强く脅されたのは正に婚姻關係であつた。夫の長い間の不在は妻の貞操にとつて危險である。姦通と離婚の增加はそれを證明してゐる（註二）。他の風俗犯が減少したのは、一つには文明と風俗の寬和によるものであらうが、然し他面に於てそれらが身體的飽滿の結果たる犯罪（Délits d'assouvissement）であることと密接に關聯してゐるとなさざるを得ない。戰時生活の窮乏はそんな行爲をするだけの體力の餘裕を殘さなかつたのだ（註三）。だからこそ戰後はまた增加し始めたのである。かく見て來ると一般風俗犯の減少も亦、實は戰爭の不幸な結果であつて、必ずしも道德の向上の結果のみとはいひ難いとされてゐる。卽ち茲でも獨墺に於けると事情は同じである。

(3)暴力犯　これに屬するのは毆打創傷、脅迫、武器携帶、官憲反抗などであるが、それらも減少著しく、毆打創傷、官憲反抗は殆ど半分になり脅迫や不法武器携帶も減少した（尤も官憲反抗を除き二〇年の數字は分らない）。その原因は一つには國民が――直接戰鬪に從事した者もさうでない者も共に――武器を振廻したり暴力を行使したりすることに飽きて、犯罪手段に於てもむしろ詐欺的行爲に轉向したこと、一つには戰時中制定せられた禁酒法が勵行せられたことに求められる。

(4)財産及び誠實に對する犯罪にあつては特に窃盗罪の増加が著しい（四六四七八人から七〇九〇八人に増加した）。詐欺と背任とは統計上共に減少したことになつてゐるが、それらが眞實戰爭により減少したと考へることは不當である。それらの統計面の減少はむしろ不誠實な人間は戰時中は他に一層有利な活動領域を見出し、そちらに——例へば不法投機とか食料管理違反——移つて行つたからだと解すべきである。商業詐欺も窃盗程ではないが増加した。戰爭は近代社會の金が一切を支配し、その如何にして得られたかは問ふところにあらずとする傾向を一層助長したのである。またヨーカスは茲で窃盗が職業化し専門家的性格を帶びて來たことを注意してゐる。

註一　Yocas. op, p. 27et suiv.

註二　ヨーカスはかかる姦通や離婚の増加の根抵には更に近代社會に於ける婚姻觀の著しい變化——今日では婚姻は昔のやうに神によつて結ばれたるもので、唯夫婦の何れか一方の死亡によつてのみ解消せられる神聖なものとしてゞなく、むしろ單なる一男一女の間の一時的な共同生活に過ぎぬと考へられるやうになつた——も存在することを指摘してゐる（Yocas, p. 31.）。

註二　ギレルメ（Güillrmet）はこの減少を性慾の金錢による滿足が容易になつたこと、及び婦人が自由を獲得したことに歸してゐるが、ヨーカスはこれに對して、金錢による性の滿足の方法は戰前にも大都市にはふんだんにあつたことで（且この種の犯罪は都會的犯罪である）、それでは說明にならぬと評してゐる。然し婦人の自由の擴大は獨墺に於けると同樣それに可成り關係してゐるであらう。

(二)次に重罪について見れば（註）、統計上一九二〇年は一九一三年に比し對人身犯に於て增加し逆に財產犯に於て減少してゐる。然し(1)財產犯の減少はむしろ重罪事件の輕罪裁判所への送致(Correctionalisation des crimes)が頻りに行はれた結果で、現實のそれらの減少を示すものではない。(2)對人身犯にあつては故殺、嬰兒殺、毆打創傷致死は增加してゐるが、謀殺、重罪たる毆打創傷は減少してゐる。(3)風俗犯では强姦、强制猥褻は減少し、唯墮胎と重婚とは共に極めて增加が著しい。

結局、戰爭の結果增加したのは財產犯、特に竊盜罪と婚姻及び家庭道德を破壞する不倫な犯罪だつたといふことになるのである。我々は茲でも獨墺と同じ事實を見る譯である。

註　Yocas, p. 13 etsuiv.

(三)佛蘭西の婦人犯罪は一九一四年を除き每年增加を續け、一九二二年頃からやつと減少し始めたが、それでもなほ戰前の水準より上にある。一九一三年を一〇〇とすると一六年には一一一となり、爾後累增して二〇年は一七七、二二年は一三五といふ狀態である。右に述べた嬰兒殺及び墮胎は大部分が婦人の犯罪であるが、財產犯——竊盜、詐欺、背任——の增加も著しく、更に官憲反抗や浮浪、乞食でも婦人の占める割合が增大した。

(1)かかる婦人犯罪增加の原因として、ヨーカスは戰爭により生じたる事由と、戰爭と無關係なる原因との二つあるとなす。まづ前者から始めると、それは戰爭の齎らした生活困難であつた。即ち動員は(イ)まづ一家の扶養者を奪ふ結果となり、多數の婦人達は自分と子供の生活を支へる義務を突如として負はされることになつた。これは必然的にその生活を困窮に陷れ、また生存競爭に慣れてゐない婦人達を驅つて、ややもすれば違法手段による生活物資の獲得に向はしめた。(ロ)夫及び父親は通常家庭に於ける道義の監督者である、この夫、父親が戰線に去つた後は、彼らに代つてしづかり家庭の道義を維持するものがない。かくて生ずる家庭の無政府狀態はまた容易に犯罪の原因となつた。(ハ)更に日常見聞する戰爭の狀況は屢々道義を頹廢させるやうな內容のものである。更に田舍の妻達が人手不足に應へ且は自分達の生活を支へる爲めに都會の工場に出て來ることより蒙つた汚辱も亦少からず道義頹廢に拍車をかけた。

(2)然し婦人犯罪の增加といふことは單に戰爭の結果とのみ見るべきではない。それはむしろ既に戰前から徐々に始まつて戰後に至るまで續いてゐるところの現象なのである。茲に戰爭と關係なき第二の原因が存在する譯で、(イ)かかるものとして先づ注目すべきは、近代社會生活に於ける婦人の役割の增大である。婦人が家庭から出て種々の職業に就くことになると、必然的に今までより犯罪への誘惑も增して來る。(ロ)なほ日々進行してゐるもう二つの原因がある。それは上述した婚姻の頽廢傾向と贅澤の擴大とである。贅澤の欲望は恰も致富の欲望が詐欺師の心を動搖さすやうに、若い婦人の精神の平穩を害するのである。婦人の安い俸給は彼女達のこの希望を充すにはとても足りない。そこでこれを滿足させようとしてつい窃盜や賣淫に陷る婦人の數が增すのである。賣淫はそれ自體犯罪でないとしても、少くとも行爲者を犯罪の世界に引摺り込む原因となるとされるのである（註）。

註　Yocas, p. 20, 39 et suiv.

(四)少年犯罪の增加も著しい。戰爭中の檢察機能障碍、人口減少、外敵侵入地區の存在にも拘らず少年犯罪は一九一五年から既に增加を始め、一九一三年を一〇〇とすれば一五年は一〇九、一八年は一七三、二〇年は實に一八九と殆ど二倍近くなつてゐるのである。少年犯罪の增加を犯罪別に見ることは、戰前の統計不備の爲め不可能であるが、一九年の統計から見ると增加は特に窃盗その他の財產犯について著しかつたやうである。この目的の爲めに巴里に於ける少年の逮捕數を見ると——戰爭末期の一七年、一八年は特に少年犯罪が增加しそれは戰後減少せること、並びに特に少女の犯罪が男子のそれより增加著しく減少率も少い——大體一般犯罪と同じ關係が見られる。即ち浮浪乞食は戰後激減し、毆打創傷、脅迫、住居侵入、詐欺背任も同樣である。反對に增加せるものは夜間襲擊（Attentats nocturnes）强盜、窃盜である。殺人罪には二一年の激減の外著しい變化はない。要するに少年犯罪も主に財產犯について著しい增加を見たこと犯罪一般の動きと同樣であつた。

少年犯罪增加の原因としても戰爭がまづ擧げらるべきではいふまでもない。即ち右に婦人犯罪について述べたと同樣な事由——父親の不在、扶養者のないことの及ぼす經濟的道德的惡影響、社會の少年保護能力減退、母親の監督不十分、敎師の動員、少年保護設備の荒廢、戰爭の暗黑面の見聞、勞働による汚辱、都市への移住による不良化——は全て少年にも當嵌る。然し玆でも少年犯罪增加は既に戰前に始まつてゐたことを注意せねばならぬ。モーリス・イヴェルヌは既に戰前の歐洲諸國に於ける犯罪年齡の低下について語つてゐるが、これも亦近代社會生活の產物といふべく、戰爭が終了したからといつて戰前の水準まで當然減少するかの如き樂觀は禁物であるとせられるのである（註）。

　卽ち婦人や少年の犯罪についても獨墺と全く同樣であるが、唯ヨーカスがこれら婦人及び少年犯罪を單に戰時現象としてのみでなく、又近代社會機構の產物としても見るべき面があることを指摘してゐることは注意せられてよいであらう。

註　Yocas, p. 22, 47 et suiv. Yvernes, La criminalité générale et la criminalité des mineurs en Europe, Revue Pénitentiaire, 1914, p. 180, 446 et 546 (Yocas, p. 51).

二　英國に於ける戰爭と犯罪

英國の戰時犯罪について最近マンハイムの著作が出てゐることは本稿の冒頭に述べた通りであるが、差當り入手の方法がないので、茲にはヨーカスの調査の結果を紹介するに止めなければならぬ。——扨てヨーカスによれば英國について、右に佛蘭西について採つたと同じ方法で研究することは不可能である。然しこの國では戰爭中と雖も犯罪鎭壓機關の機能は無力化しないで濟んだのであるから、その統計面に現れた犯罪の絕對數は、若干の修正的事項を參考にすれば、比較的に正確な犯罪現象の觀念を與へることができる筈である。

（一）犯罪の全現象を眺める爲めにまづ陪審事件（Indictable infraction）の被告人數を見ると戰爭以來減少してゐることが判明する（註）。この種事犯は戰前增加傾向を辿つてゐて一九一三年には被告人數六三二六九人に達したが、一九一四年乃至一九一九年の平均は五八〇〇〇人となつた。尤もこの減少は主として動員の結果であつて、一九二〇以後は再び增加し始めてゐる（二〇年六〇六一七人、二一年六一二三五五人・尤もその後は再び減少してゐる）。以上は被告人數であるが、有罪判決を受けた者について見ても同樣である。即ち有罪人員は一九一三年の二九二一一人から一九二二年の二五〇二九人となり十四％方減少してゐる。この間に於ける人口の增加を計算に入れれば減少率は一層著しいことになる。——尤も警察に知られたる犯罪件數は戰爭以來增加してゐる。即ち一九一三年の九七三三三に對し一九二〇年以來逐年增加して一九二四年には一一二五七四に至つてゐるのである。然しこれはそれまで陪審事件でなかつた犯罪でそれに組入れられたものがあつた結果に過ぎぬ。それも右の人口增加率を計算に入れると實質的には却つて減少してゐることになる。

次に非陪審事件（non indictable infraction）も著しく減少してゐる。この減少率は同期間中著しく增加した自動車事故（一三年の四萬件が二四年には二十萬になつた）を除いて考へるときは一層大となり、二四年には實に四八%減少したことになるのである。又泥醉罪も六〇%減少してゐるが、これは酒類の値上り、酒精含有量の減少及び酒類販賣時間の制限等の原因に基くものである。その外の非陪審事件全體では三一%の減少である。

註　Yocas, P. 77 et suiv. Indictable offence 所謂陪審事件とは通常陪審により審理せられる事件でありnon indictable (Petty) offence 非陪審事件（又は小事件）とは陪審の關與なく治安判事により審理されるものであるが、今日では前者の中にも陪審を經ぬものがあると共に後者でも惡質のもの（三月以上の刑に相當すると思料されるもの）は陪審に附せられ得る。Kenny, Outlines of criminal law. 1933. P 92

(二)次に如何なる犯罪が減少したか、一般的な犯罪減少傾向にも拘らず逆に増加した犯罪があるかについて檢討すべきであるが、茲でも我々は上來見て來た他の諸國に於ける犯罪現象の動搖と殆ど同じものを發見するのである。

(1)暴力犯　謀殺及び故殺は少し宛減少した。その實數は一五〇で戰前と殆ど同じだけれど、人口増加を考慮すれば實質的には減少してゐるのである。即ち故殺は一八七〇年には人口百萬に對し六二人だつたのが、一九二四年には三・九人となり、微弱乍ら確實に減少傾向を辿り續けてゐて、戰爭によつてもこの步調は亂されなかつたのである。また人身に對する加害企圖は戰前五年間の平均二〇〇〇が一九二四年には一三〇〇に減じ、毆打創傷についての訴追亦一九〇〇年以來五〇%の減少を來した。違警罪たる毆打創傷の數は一九一三年の四三一四が二〇年には四〇五九六、二二年には三三七五三と減少した。――かくの如く暴力犯罪は獨墺、佛國と同じ減少を示したのである。

(2)風俗犯にあつては、まづ墮胎が增加した。即ち一九一三年の三一が一九一八年には五四となり、一九一九年には六〇となつた。但しその增加率は他の諸國程甚しくなく、それにその後は減少する傾向にある(二〇年三五、二一年三九)。重婚――それは同時に姦通罪の動きをも徵表する――も增加した。即ち一九一三年には一三三だつたのに、一九二〇年には七二二に達し、その後は減少に向つてゐるが(二一年五七〇、二二年四五四)、それでもなほ戰前の三倍を下らないのである。

墮胎や重婚と反對にその他の風俗犯は著しく減少した。例へば成年婦人に對する犯姦は一九一三年の二五八から一九一九年にば一五二に減じ、十六歳未滿の少女に對する犯姦罪も四〇%減少してゐる。尤もこれらは何れもその後再び少し宛增加する傾向があるが、戰前の 準からは程遠い。ヨーカスは茲にも佛蘭西の同様な現象について彼の與へた說明――これらの犯罪は飽滿の結果であつて、物質的生活の飽滿は倒錯的な精神にはその安定を攪亂する作用をする――がその儘當嵌る筈だと說いてゐる(註)。

註　Yocas, P. 81. 32. なほ本稿一一六頁參照。

(3)怠惰的犯罪も減した。浮浪は一九一三年の七一三一から一九一九年の一三一二件に下り、乞食は同じく二〇三九〇より二一九八に激減した。然しその後何れも再び少し宛增加し始めてゐる。賣淫も亦減少した(一三年の一〇六二九が二〇年には五七四三、二二年には五〇一三となつてゐる)。この國で賣淫が減少したのもおそらく佛蘭西に於けるその減少と同一の理由に基くものであらうが、唯英國では戰後はひどい就職難の時代で百萬以上の勞働者が失業してゐたことを注意する必要がある。

(4)財產犯　これまで我々が見て來た犯罪は、墮胎と重婚位いを除けば、主要な犯罪は何れも戰後著しく減少してゐた。いまや反對に戰後激增を示した犯罪群を觀察しなければならぬ。財產犯がそれである。英國も亦戰爭は窃盜を增加せしめるといふ原則の例外たることを得なかつたのである。商店への侵入盜の被告人數は一九一三年の一八八六人から一九年の二五〇〇人に增加し、その後は二四年まで殆ど變化してゐないが、犯罪件數はぐんぐん增加した。即ち一九年乃至二三年の平均七六九一件、二四年には八九三九件になつてゐるのである。これはつまり同じ犯人が數個の犯罪を犯してゐること（累犯の增加）を示すものに外ならぬ譯である。單純窃盜にも同じ現象が見られる。尤もこれについては比較すべき戰前の數字が缺けてゐるが、ロンドンタイムス（二六年三月三〇日）によればその增加せること明かである。その警察に知られた件數は一九年乃至二二年の平均六九〇〇〇件であるが、二三年には七三〇〇〇件となり、二四年には七五〇〇〇件となつてゐる。家事使用人の窃盜も一三年の一四〇〇件が二〇年には二倍（二八〇〇）となり更に增加する勢を示してゐた。最後に贓物犯により處罰された者の數も一三年の一二五六人から二一年には一八〇〇人に增加し、詐欺も一三年の二一四九から二〇年には二六八〇、二二年には三二五五と累增してゐる。

以上の如き財產犯增加の原因も亦、ヨーガスによれば、佛蘭西その他に於けると同じく、一半は戰時中に於ける短期間の致富の可能が人々に誠實な勞働を輕蔑して一攫千金的な野心を抱かせて詐欺その他の犯罪へと誘惑したことにあり、一半は下層階級の人達の中に自己の經濟事情が許す以上の生活をしたがる者が多いといふことにあつた。その他熟練せる職業犯人の橫行や、或ひはまた失業の增加もそれに與つてゐることは明かである（註）。

註　Yocas, P. 82 et s. iv. 英國の財産犯の動きについてはエックスナーとリープマンとの間に見解の相違がある、前者はラッグルス・ブライス（Ruggles. Brise）の所説に基き一八年の竊盜は戰前より六〇％も減つて居り、更に若干の刑務所は在監者減少の爲めに閉鎖されるものすらあつたと說いて、逆に刑務所が滿員の爲め刑の執行猶豫を與へなければならなかつた獨逸や墺太利と何といふ違ひであらうとなしてゐる（Exner, a. a. O. S. 207.）。然しリープマンは一八年英國の刑事統計（Judicial statistics for England and Wales. 1918. part.I Criminal statistics.）によつて財産犯中暴力的なものは餘り變化なきも非暴力的なものは增加してゐることを示し、召集による人口減少を考慮に入れゝばそれはやはり著しく增加したものと見なければならぬと主張するのである（Liepmann, a a O. S. 69.）。ヨーカスはリープマンの所說を支持する結果となる譯である。

(三)　英國の婦人及び少年犯罪についてはこれを徵すべき材料がない。唯少年については一九二〇年の監獄雜誌（Revue pénitentiaire）に記事があるが、それによればロンドンに於ける少年の逮捕數は一九一四年から一九一七年にかけて殆ど二倍になつたと說かれてゐる（一四年三三四六人、一七年六一七五人）。これで見ると英國でも少年犯罪が增加したことは明かである（註）。

註　Yocas. P. 84.

三　最後に我々は前大戰が中立國の犯罪現象に及ぼした影響を簡略に考察する爲めに、スウェーデン、ノルウェー、及びオランダに關する他の學者の研究を紹介しておくことにしよう。

スウェーデン及びノルウェーについてはスウェーデンの統計學者グロエーンラントの報告がある(註一)。それによるとスウェーデンでは戰時中有罪判決を受くるものの數は減少した。然しそれは輕微な罰金刑に該當するやうな犯罪の著しい減少によるものであつて、懲役や死刑の如き重き刑罰は、初めの中こそ減少を示したけれども、直ぐ激增に轉じてゐる。即ち一九一三年には四一三の死刑及び懲役刑が言渡されたに過ぎないが、一九一八年にはその數は實に一三七九件に昇つた。而もその際婦人犯罪の增加率が男子犯罪のそれを凌駕して居り、更に又少年犯罪の增加も極めて著しい。個々の犯罪について見ると、その動きは茲でも亦犯罪の種類によつて一樣でない。まづ通常飲酒と何等かの關聯をもつ犯罪は皆減少してゐる。例へば國家權力に對する犯罪、騷擾、傷害、毀棄罪は戰前に比し半減し、泥醉罪は三分の一に減少した。これは明らかに酒精使用の法律的制限と關係がある。何となればこの制限の結果一九一六年から一九二〇年にかけて酒精の一人當り使用量は戰前の半分に減退せしめられたからである。但し暴力犯にあつても謀殺や故殺は他のものと異り別段の變化を示してゐない。――犯罪現象の右の如き著しき增加は、戰時法規の違反を別にすれば、實に財產犯の增加に基くのである。特に竊盜犯は戰前の三倍で未曾有の高さに達したのである。然し全てこれらの變化も長續きはしなかつた。既に一九一九年及び一九二〇年には戰前の狀態への緩慢な復歸が始まつた。

ノルウェーに於ても有罪判決は最初減少したが、その後增加に轉じ、一九一八年には遂に戰前の二倍半に達するに至つた。尤も戰時法規違反を除外した增加率は約五〇%である。この國の犯罪增加も何よりもまづ竊盜及び欺罔的犯罪の增加に基くものであつて、國事犯や暴力犯及び泥醉罪は一般に減少してゐるものである。尤も後者（泥醉罪）の動きはスウェーデンに於ける程一定したものでないが、これは明かにノルウェーのとつた酒精政策の動搖に基くものである。蓋しこの國の酒精制限は一應一九一四年から嚴格に初められたが、その後この制限は一時緩和せられ、更にその結果の面白からざるに鑑みて再び一九一六年末から勵行されることになつたからである。

オランダについてはロース及びジュールモントの論文がある（註二）。この國の犯罪の動きも獨墺その他の國のそれと極めて類似してゐる。即ちここでも亦全有罪數はまづ一九一四年に一應減少した後、一九一五年からは逆に增加を示してゐるのである。而も少年の犯罪增加は成年者のそれより甚しい。かかる犯罪の增加には、戰時法規の違反、例へば未曾有の規模で行はれた密輸とか必需物資切符の僞造等も大きな役割を演じてゐるが、然し何といつても最も重要なのは財產犯の怖るべき增加であつた。又犯罪の手口や對象についてまでも獨墺との著しき類似が見られた。財產犯と反對に傷害罪はオランダでも減少した。ロース等はその理由を、官憲にはそんな犯罪を訴追するよりももつと重要な任務が課せられてゐたといふことに求めてゐるが、戰時中のマルツ酒の禁止及びその結果と見るべき酒精中毒の減少が、それに與つて力あつた事實も否定できないであらう。然し事情は戰後徐々に變化し、それにつれて犯罪現象も動いて來た。直接的な戰爭犯罪が戰後直ちに減少したことはいふまでもないが、その他の犯罪についても一九一九年、一九二〇年頃から著しい變化が起つてゐるのである。特に右のマルツ酒禁止撤廢の結果として泥醉罪が增加し、更に風俗犯まで激增して來た。然し少年犯罪は大體に於て減少した。これはおそらく多くの父親が兵役を免ぜられて歸宅したので、子供達が再び嚴格な監督を受けるやうになつたことと關係してゐるのであらう。

註一　Grönland, Über die **Kriminalität in neutralen Ländern** (Schweden und Norwegen) während der Kriegs-und **Nachkriegszeit**, Monatsschrift **für Kriminalpsychologie und Strafrechtsreform** 16, Jahrg. S. 331 ff.

註二　De Roos und Suermondt, Die Kriminalität in den Niederlanden während und nach dem Kriege, Monatschrift für KriminalPsychologie und Strafrechtsreform, 14. Jahrg, S. 117ff

四　なほ右の外にもベルギー、伊太利、ルーマニヤ等についても研究があるが（ヨーカス）、皆大同小異であるからその一一の紹介は省略することにしたい。唯最後に同じ交戰國であつても上來述べられた諸國と全然別箇の經驗をした國があるといふエックスナーの次の言葉を引用しておくことはおそらく無要ではあるまい。――先の英國の戰時犯罪現象の解釋に關する註の中でも一寸觸れられたやうに、エックスナーは經濟封鎖を受けぬ聯合國には著しい犯罪增加はなかつたと主張するのである。特に彼は「このことはカナダや日本のやうに經濟的見地に於ては戰爭により殆んど直接何等の障碍をも蒙らなかつた國に於ては殊に明瞭である」となし次のやうに述べてゐる。曰く「茲では事態は正反對の方向に發展した。即ち戰時中に於ける全犯罪の減少、就中婦人犯罪の減少があり、更に戰後の兵士復員後も一九一三年に較べて財産犯の增加を見ざるのみならず、逆に犯罪數の減少さへ示し、特に窃盗犯の減少が見られたのである。即ち正しく獨逸、墺太利、スカンヂナヴィヤ及びオランダと反對のことが經驗せられたのである」と（註）。日本のことが出たから簡單に當時の日本の窃盗罪の數を見ておかう。第一審に於て有罪となつた窃盗被告人數は――我當局や學者により示される統計はいつもこれである――大正二年（戰前）には二四七一八人であつたが、同三年（一九一四年）には二二二六四人となり、その後二〇八〇六人（四年）二〇二二二人（五年）、一八七六六人（六年）一八九八一人（七年）、一六五五九人（八年・一九一九年）と確かに減少してゐる。これを見れば右のェックスナーの言葉は全く正當であると思はれる。然し玆で問題となつてゐるやうな犯罪の全現象についてその動向を訊ねる爲めには、實は、第一審有罪人員數だけでは不十分なのである。といふのは我刑事司法の實際にあつては證據も十分、犯人も分つてゐるといふ場合にも檢事、司法警察官は必ず起訴又は送局しなければならぬ（合法主義）のでなく、むしろ所謂便宜主義に從ひ自己の裁量により起訴猶豫及び微罪釋放處分を爲す權限が與へられてゐるのである。而して恰も問題の窃盗犯についてはこの起訴猶豫及び微罪釋放處分の爲される場合が頗る多く、その結果窃盗罪を犯したること明かなるに拘らず第一審の有罪判決を受けない者の數は起訴される者の數倍に昇るのである。故に事態を正確に把握するには、第一審有罪人員の外に起訴猶豫及び微罪處分を受けた人員を合計して見ることが絕對に必要である。いま右期間に於ける窃盗罪についてこの合計を見ると、大正二年四四三六一人、同三年四三八三五人、同四年四三二二六人、同五年四六二四五人、同六年四六四三六人、七年六九〇九〇人、同八年六六二二四人となつてゐて、開戰當初の二年間が減少を示すのみで、その後は可成り著しい增加線を辿つてゐることが判明する（尤も戰後は直に減少してゐる）。それは勿論上來見て來たやうな他の交戰國、中立國の增加率に比較すれば問題でないが、ヱックスナーの右の言葉は少くとも文字通りには承認できぬことになる。——尤もこのことは戰爭による經濟的打擊を受くることの少い國には犯罪、特に財產犯の激增は見られないといふヱックスナーの提言の一般的眞實性を動かすものでないことはいふまでもない。

註　Exner a. a. O. S. 207.　彼はその立論の根據を Zahn, Kriegskriminalität, Schmollers Jahrbücher, 47. Bd に仰いでゐるのである。

第七章　結論と若干の示唆

一　上來の研究の結果我々が知り得た刑事學的認識を箇條書に纏めて見よう。

（一）鬪戰當時は犯罪が減少するがその後直ぐ增加を始める。而もその增加は財產犯、特に窃盜犯の增加に基くもので、暴力犯又び風俗犯は殺人、嬰兒殺、墮胎、姦通などを除いて一般に減少してゐる。更に犯罪の對象、方法に於ても戰爭の影響は著しく、特に戰後は暴力的な財產犯や集團的强盜犯の增加が見られる。最後に犯罪の主體として婦人及び少年の比重が增大し、反對に一般に怖れられた歸還兵の犯罪、就中彼らの暴力犯は豫想に反して著しくない。彼等の犯罪が問題となる場合にも、それは暴力行爲としてでなく、むしろ彼らが勤勞意欲及び規則的勞働の習慣を失つてゐることと關聯するものが多い。

（二）右の如き戰時犯罪は「軍事的な武器の行使といふ意味に於ける戰爭の結果」といふよりもむしろ戰爭の伴つた經濟的激變の結果として理解せられねばならぬ。特に獨墺兩國については經濟的封鎖、即ち戰時中にあつては聯合國の軍隊と艦船により、戰後にあつては爲替相場の暴落により將來せられた外國からの輸入杜絶が兩國の經濟を殆んど窒息せしめた事實が顧慮せられねばならない。クローネ又はマルク安定の年が同時に犯罪減少の第一年であつた事はこれを側面から示してゐる。更に我々が注意しなければならぬことは、直接軍事行動に關與してゐなかつた中立國でも、それが戰場に接近してゐて經濟戰爭の渦中に卷込まれた場合には獨墺兩國と殆んど同じ犯罪現象を示してゐるが、反對に經濟的窮迫を蒙る事の少なかつた國は、たとへそれが交戰國であつたとしても必ずしも類似の犯罪現象を示さなかつたといふことである。まことに「戰爭の犯罪に對する影響を明かにしようとする全ての企てはいつもその重點を經濟的要素に置くべく餘儀なくされる」（エックスナー）のである。

（三）然し經濟的要素――窮迫――がどうして犯罪を惹起するのかといふディナミークの說明は、單に(1)行爲者自身の經驗してゐる堪へ難き生活難、窮迫、飢餓が彼を犯罪に走るべく强制するのだといふことの指摘のみを以てしては未だ十分に盡されたとはいへない。むしろ社會心理的(2)に他人が困窮してゐるといふ事實が行爲者に及ぼす犯罪的誘惑作用の意味を重視しなければならない。暴利、闇取引が一般世人の困窮を利用し搾取しようとするところから生ずることは勿論であるが、窃盗犯にしたところで若し自分自身が飢餓と寒氣に苦しんでゐる人だけしかそれを犯さなかつたとすればあのやうな激増は示さなかつたであらう。更に暴力犯、風俗犯の減少も亦酒精使用の減少と一般的榮養不良の結果であり、従つて等しく經濟的窮迫の産物である。然しこの間のディナミークは財産犯のそれよりむしろより直接的であらう。

（四）戰爭による犯罪現象の右の如き變化は戰爭及びその後遺症狀が消失するにつれて解消して行く。社會生活、特に經濟生活面に於ける復興、平和狀態の回復と共に、犯罪も亦平時狀態の形相に歸つて行く。たとへば財産犯特に窃盜犯の減退、暴力犯や風俗犯の增加の如きがこれである。上述の墺國の犯罪の回復がクローネの安定した一九二二年から始まり、獨逸では同じくマルクの安定した一九二三年から始まつてゐることは經濟生活の回復と犯罪の平時狀態化とが如何に密接に聯關してゐるかを示してゐるであらう。然し戰爭は一時的非常事態といふものの、それを經驗した民族及び社會に對して多かれ少なかれ何等かの繼續的な變化を殘すものである。戰後の社會はこの意味に於て戰前の社會と全然同一物であることはできないのである。犯罪についてもこのことは勿論當嵌る譯で、犯罪の平時狀態への回復といつても戰前の犯罪狀態とそつくり同じものが復活するのではないのである。

二　扨て以上の第一次大戰の刑事學的經驗についての研究が終つた以上、我々は本來ならばいよいよ今次戰爭に於ける我國の犯罪現象に考察の鋒先を向くべきであらう。けれども本書の冒頭でも斷つておいたやうに、我々はいま直ちにこの仕事に着手することはできない。茲では私は讀者と共に單に次のやうな印象を羅列するだけに止めたいと思ふ。

（一）我國でも開戰當初――それも支那事變の始め――數ケ月は犯罪の著しい減少を見た。その爲め一部の新聞にはこれこそ我國獨特の有難い現象だといふ言葉が見られた程で、昨今の犯罪現象から引出された我國民性に對する絶望論と正しく好一對をなす事實であつた。刑事學者は當時からそれが決して我國獨自の現象でないことを指摘してゐたのである。

（二）現實の犯罪現象はその後間もなく――早くも昭和十三年には――少年犯罪の增加を看取せしむるに至つた

（三）更に經濟事犯の氾濫が世人の關心を呼び始めた（昭和十四年以來）。而もその際率先して大口の統制違反をやつたのが、外ならぬ陸海軍であつたといはれてゐることや、又續出する統制機關が徒らに生產者と消費者との間に介在しては高い手數料ばかり貪つて「トンネル機關」の俗稱の下に嫌はれたといふ事實、或ひは統制失敗の結果生じた膨大な買出部隊の現象の如き、前出の獨墺兩國に於ける出來事とそつくり同じであつた。

（四）敗戰後は所謂闇市が全國に簇生し、そこでは食糧管理法や價格統制の違反が公然と組識的に行はれるに至つたこと世人の見る通りである。これは敗戰後の一般現象たる舊國家權力の勢威失墜を反映すると共に、戰時中の統制經濟に對する反感が爆發したものであらうが、それが又現下の國民生活再建を妨げてゐることは疑ひないであらう。

又一般犯罪では

（五）官公署等に於ける事務の增大は人手不足と競合して勢ひ素質の落ちた官公吏——又はそれに準ずべき職員——に大き過ぎる權限を與へたが（例へば勤勞動員署のことを想起せよ）、それらの者の生活窮乏は彼らを外部からの誘惑に容易に屈せしめ、ために贈收賄その他の瀆職事犯を多からしめた。

（六）漸く深刻化せる生活難、特に衣料及び食糧の不足はそれらの物資に關係する犯罪——野荒しから郵便や鐵道に於ける荷拔き、橫流し、配給物資に關する不正申告、文書僞造、詐欺取財等に至る樣々の財產犯——を增加せしめた外、地方では都會から入り込んだ疏開者と彼らを厄介視する農民との摩擦を生ぜしめた。

（七）敗戰後は多くの農民が「もう騙されぬぞ」といつて食糧の供出を拒否する傾向を見せると

場に、米麥甘藷等の主食はどんどん闇取引せられるに至り、それは都鄙の深刻な對立に導く危險すらある。茲でも前大戰の獨墺と同じ事象が存する。

（八）更に敗戰後の集團强盜の横行も亦その形態、手口等に於て前記の獨墺兩國の前例と頗る類似してゐる。更に新聞は時折その强盜犯等に女性の參加者があつたり、ときによると女性のみの强盜があるといふことを報じてゐるが、それを措信すれば戰爭による婦人犯罪の男性化をも肯定すべきことになららう。

（九）娯樂の缺乏は都鄙を通じて戰時中から既に賭博を增加せしめてゐたが、戰後は一層甚しく取締力減退に乘じて街頭にまで公然と進出して來てゐる。大阪の或る地區では子供までがそれに感染する勢いにあるため、母親達が結束して街頭賭博の一掃に起上り效果を收めたといふ新聞記事は社會に深い感銘を與へたが、以て事態の深刻さを察知すべきである。

（十）最後に戰後の著しい現象として風俗の頽廢があるといはれる。特に自由と放埒とを取違へたやうに見える一部の若い女性の行動は世人の糾彈の的となつてゐるが、茲でも我々はエックスナーの「ヴアルータメーデル」といふ言葉を想起せざるを得ないのである。然し問題は單に若い女性の輕卒にあるのではない。扶助を與へられぬ戰死者の遺族、顧みられざる戰災者、失業者の家族等の中からも、生活苦の爲め街の女性となるものも大いにあり得るからである。

三　今次戰爭が我が國にとつて明らかに困難な相貌を呈し始めた頃、私は或る會合で以上の研究の梗概を報告した事がある。私の話の終つた時、人々の期せずして發した語は「何處の國民も同じことだな」と云ふ言葉であつた。讀者も今同じ感想を懷いてゐるのではあるまいか。まことに戰爭の熾烈なる現實を前にしては、個々の民族の特殊性とか傳統とかいふものは全く無力なる因子でしかないのである。そこで人は右の感想を一般化して、「同じ條件の下に於てはどの民族も同じ犯罪現象を呈するものである。」といふ刑事學的公理を抽出することができさうである。或ひはそれから民族性の刑事學的意義の否定が結論されるかも知れない。思惟の徹底を求め、現象の一般原則への還元を要求する我々の理論意識はしきりにかかる結論を焦る。然しこの際我々は徒らに安易なる一般化に走つて問題の具體的把握を怠ることなきやう留意する必要がある。この爲め次に私が特に注意すべきものと思考する若干の事項について略說して置きたいと考へる。

（一）まづ第一に右の「同一條件の下では」といふ場のその同一條件が民族について果して現實に存在し得るかが問題である。蓋し夫々の民族は住む場所は勿論、歷史的社會的條件を異にして居り、法律制度の内容（何を犯罪とするか）や運營方法（犯罪に對する態度の寬嚴等）に就ても各自相違があつて、これ等を相互に比較すべき共通の地盤は仲々見出せないからである。從來民族と犯罪性の關係に就て表明された意見の何れもが論者の直觀の域を脫してゐないのもこれに因るのである。所がこの研究にとつて極めて好都合な社會が一つ實在してゐる。アメリカ合衆國がそれである。蓋しそれは世界各地からの移民を吸收包含してゐて、右の同一の條件の下に異れる民族を置くといふ要件をひとりでに實現してゐるやうに見えるからである。そこでは自ら人種と犯罪の關係が人々の關心を呼び刑事學上も好んで論ぜられる題目の一つとなつてゐる。特に盛んに論議せられる問題は黑人と白人の犯罪に區別があるかといふこと、及び移民の犯罪的特殊性如何といふことである。――まづ黑人について見ると、統計上その犯罪數（逮捕、有罪判決及び收監の人口比例）は白人（米國生れの）の約三倍に該當する（一九一〇年、一九二三年、一九三三年の調査何れも同樣）。これを犯罪別に見ると對人犯は少くて財產犯が多い（殺人は白人の〇・九倍、强姦は二・一倍、强盜は二・七倍、夜盜は四倍、竊盜は四・五倍）。次に移民の犯罪であるが、常識的にはそれが米國の犯罪增加の主因とされてゐるにも拘らず、實際に於ては移民の性別や年齡別（靑壯年の男子が多い）から豫想されるより寧ろ少い位いである。然し更に進んで各出身國別に見るとそこには著しい相異がある。例へば愛蘭人はどの犯罪についても獨逸人の五倍である(一九一〇年、一九一三年)。又犯される犯罪の種類にも相違が見られ、フィンランド人のやうに犯罪の數は多いがその大部分は(八五%)泥醉その他の輕い犯罪であるものがあるかと思へば、他方にはギリシャ人のやうにその犯罪の六五%までが重罪であるといふもの、或ひはイタリー人のやうに殺人犯罪の多い民族もある(註)。

註 Gillin, Criminology and penology, P. 49. Sutherland, Principles of criminology, P 110.

(二) 然らば、このやうに、同じアメリカ社會に生活し乍ら犯罪現象に著しい相違を生ずるのは何に因るのであらうか。これが當然に問題となつて來るが、それについてアメリカ刑事學界は生物學的、人種的說明を極力避けつつ專ら社會的環境――現在及び過去の――により理解しようと努めてゐたやうである。この點素質的要素を重視せるナチス獨逸や墺太利の刑事學と著しい對立をなしてゐることは學者の夙に指摘せる通りである。それについては色々の例があるが、茲では一つクリフォード及びショウの有名な「犯罪地帶」(delinquency area)の研究が惹起した國際的論爭を紹介しておかう(註一)。この二人の著者は或る期間に亘つてシカゴの警察や少年審判所の厄介になつた少年についてその不良行爲當時の住所を調べ上げ、且それをシカゴ市の地圖に黑點を以つて書き込んで行くことにより犯罪の分布を知らうとした。その結果彼等は市の商工業の中心地を取り卷いて圓形の犯罪中心地があることを見出した。そこで今度はこの地區の狀態を檢討した結果、そこが所謂スラム街であること、新來の移民もまづ一應そこに集まるし、市中の他の部分からも落伍者や敗殘者が流れ込んで來ること、更にそこには社會的無秩序が支配して居り、無法狀態は謂はばそこの傳統であること、犯罪者其の他もそこに集つてゐて、彼等はそこで尊敬さへ受けてゐること、そこでは親達も子供等に擾拂ひを奬勵する有樣であつて、犯罪技術や犯罪者間の仁義はひとりでに子供にも傳はつて行くこと――要するに犯罪への誘惑壓迫が極度に強くそれに對する防止力は殆んどないといふ犯罪的環境であることを明らかにした。而も著者によるとこの狀態は二十年前の一九〇〇乃至一九〇六年に於ても同樣であつた。且ここに注意すべきはこの二十年間にこの地區の住民の民族的構成が全く別個のものとなつてゐる事實である。即ち二十年前にはこの地の住民は大部分獨逸人、スウェーデン人、愛蘭人であつたが（八三％）、現在ではポーランド人その他のスラブ人、イタリー人が大部分を占めるに至つてゐるのである（七九％）。そしてかかる人口構成の變化にも拘らず犯罪と不良行爲とは終始ここに集中してゐるといふことは、人種的、民族的特殊性に比し社會的環境の强力なことを何ものよりもよく示すものではないかとされたのである。このショウ・クリフォードの研究は頗る世の注目を惹き、同じ方法を他の都市に用ひた幾つもの類書を生んだ程であつた。恰もその頃曾ての「墺太利に於ける戰爭と犯罪」の著者エックスナーはアメリカの刑事政策や刑事學を視察するためにここを訪れて來た。そして彼の視察記は一九三五年の獨逸の全刑法學雜誌に發表せられてゐるが、それはアメリカの刑事政策及び刑事學の發達の模樣を伺ふ上に於て實に恰好の文獻である（註二）。その中で彼は右の犯罪地帶の問題をとり上げ、素質や人種的要素を重視するナチスの犯罪生物學的見地を擁護しようと努めてゐる。彼は右の犯罪地帶にも犯罪又は不良行爲を爲さざる少年が六割乃至八割もあるといふことを指摘して個人的素質の無視すべからざることを注意すると共に、特にこの地帶の住民の民族的構成がこの二十年間にすつかり一變して了つたといふことを重視しそれに次のやうな解釋を與へるのである。曰く、二十年前に獨逸人やスウェーデン人がこの地帶を占據してゐるときも此所の犯罪は多かつた。然し彼らは間もなくここを出てもつと良い場所に移轉し始め、今日では伊太利人や黑人などと入れ替つて了つた。それと共に獨逸人やスウェーデン人の犯罪も減少した。然るにその後釜に据つた伊太利人や黑人は一向にここから散つて行かうとする傾向がないし、犯罪は頗る多い。かやうに或る民族は一旦犯罪地帶に入つても何とかしてそれを脫出しようと努力し且事實脱出して行くのに、他の民族はそこに落着いて了つて一向出ようと努力しないといふ相違は、最早この地帯の環境の作用によつて説明することは困難であつて、一般社會のその民族に對する排斥的傾向の外に民族的な能力の相違が作用してゐるものと考へざるを得ない。これがヱックスナーの人種學的解釋である。

然し茲で更に興味があるのは、アメリカに於ける日本人の犯罪が極めて少いといふ事實である。これは戰前のアメリカ刑事學界に於て注目せられた点であつて、これについては二三の研究も現れてゐる。その詳細を紹介する事は紙面の都合上到底不可能であるから、ここには單に右の犯罪地帯と關聯する事項についてだけ述べることにする（註三）。シヤトル市は日本人や中國人の多い都會であるが、そこで一九二九年から一九三四年に亘る期間の少年犯罪を各校區別に調べて見ると　十七ある校區の中その兒童の八〇％まで日本人で十％が中國人であるベーリー・ギヤザード校區は最も犯罪の少い校區の一つ（最も少いものから數へて第三位）であることが判明した。ところがこのベーリー・ギヤザード校區といふものは住宅區域として決して優秀な場所ではない。其處はむしろ淫賣屋や安下宿が立並び人殺しや身許不明の自殺者が續出するやうな、環境としては極めて面白くない場所なのである。――同じやうな事實はヴアンーバーやポートランド等でも認められる。さきのシカゴの獨逸人は犯罪地帶に居る間はその影響をうけ頗る犯罪が多く、僅かにそこを脱出することによりその影響を免れ得たのであるが、米國にゐる日本移民は同樣に惠まれぬ環境におかれながら、逆にその環境自體に働きかけこれを健全化してゐるやうに見へるのである。さきのエックスナーの論法を用ひれば日本人は獨逸人よりもうひとつ優秀だといふことになる譯であらう。

註一 Clifford, Shaw Delinquency areas, 1929.

註二 Exner, Kriminalistischer Bericht über eine Reisenach America. ZStW. Bd. 54, S. 524ff. これについては不破教授『刑の量定に關する實證的研究』頁以下に紹介がある

註三 Beach. Oriental crime in california a study of offenses committed by orientals in that state 1900-1927, 1932. Normann S. Hayner, Social factors in oriental crime, The amrciean journal of sociology, 1938, P. 908.

(三) 然し我々はかくの如き結論を以て自らを甘やかしてはならない。私はむしろ次の諸點をはっきりさせておく必要があると信ずる。

(1) 右の如く同じアメリカ社會に投ぜられても各民族は一應は依然としてその特色を保つて居

り犯罪現象にもそれが現れてゐるといふことは承認せざるを得ない。然しそのことは未だ決して人種又は種族的特性の決定力を認めることになるのではない。そもそも民族といふ言葉と人種（又は種族）といふ語とは屢々何等區別せずに用ひられてゐるけれども――我々も今までそれ等を併用して來た――種族の自然科學的生物學的概念なるに對し、民族は元來歷史的社會的なる範疇であつて兩者は全く別物である。且前者に於ては各世代を通じて一貫せる種族の遺傳質が、問題となるが、一般に右の如きものを犯罪現象に關して確立することは不可能でないまでも少くとも頗る困難である。我々の問題たるべきものは實はそれではなくて、後の歷史的社會的範疇としての民族性なのである。茲にいふ民族性とは現にそれぞれの國民を他の國民に對して或ひは際立たせ或ひは近似せしめる諸特徵の全體である。これは前の種族の抽象的であるに對して具體的現實的であり、又前者の固定的なるに對して可變的である。蓋しそれは樣々の歷史的社會的條件により現にあるが如きものとなつたのであつて、これらの諸條件が變化すればそれも亦當然に變化するものと考へられるからである（我アメリカ移民の二世の問題はそれを示す）。かくの如き民族性は經驗的に確定し得ると同時に、又その原因を分析することも可能である。犯罪論にあつて意味をもつものはこの意味に於ける民族性なのである。

(2) だが民族性を右の如きものと解すれば、それ自身が既に社會的環境の一形態に外ならぬといつてよい。アメリカに於ける日本移民の犯罪の著しく少いことの説明も結局それの分析に求めるより外はないのである。この問題を研究したヘイナーといふアメリカの學者は日本人の犯罪を規定する社會的要素として、(イ)日本移民が日本の古い社會から持つて來た家長的家族制度の强力なこと(血緣感情が濃かで子供は親を敬愛し親は子供のことにつき强い責任感をもつ・少くとも一世の家庭では是非善惡のけじめがはつきりしてゐて道德的規律が嚴正であり更に禮讓が重ぜられる)、(ロ)他の東洋移民と異り男女の數が大體平均してゐること、(ハ)日本移民の社會が强力でよく組織せられてゐること(日本人兒童はアメリカの小學校が終ると日本語學校に行つて日本流の敎育を受ける・日本人の面目を汚した者は仲間外れにされる・公共團體の獻金などはきつと一番に割當額を集めて來る)、(ニ)民族的自尊心の强いこと(面目を失ふことを最も怖れ、又社會的地位を高く維持することに熱心である・他國人の援助を受けたりするのを恥辱とし、貧困者、病人、犯罪者などは日本に送還される)を擧げてゐるが正當であらう(註二)。なほ私は更に次の事實を附加しておきたい。第一は第一世移民は多く淳朴な農村出身者で、アメリカを先進國として心から尊敬して居り、早くそれに倣はふと熱心に努力すると共に、又アメリカ人に嫌はれないやう、馬鹿にされないやうに懸命に戒め合つたといふことである。臺灣や朝鮮への殖民當初にはこれと正しく反對の現象が存したが、それがその地に於ける初期の日本人の犯罪を多からしめたのだと思はれる。第二は日本人の言語風習の相違や生活程度の低いことが、アメリカのスラム街に入つても彼らにそれをスラム街と感ぜしめず、從つてその惡影響を受け難くしたのであらうといふことである。彼らが人口の過半數を占むるに至れば、それはもはやいままでのスラム的環境の繼續ではなくて、むしろ別個の新しい日本的環境の出現を意味したと思はれる。第三は歐洲移民にあつては個別的にアメリカ社會生活に溶け込むことが容易であるが、日本人その他の東洋人は個別的に吸收されることが困難であつて、どうしても集團生活を繼續することになり易いといふ事實である。シカゴの犯罪地帶に於ける獨逸人とシアトルその他の日本人との相違は茲にもその理由の一があるやうに思はれる。――最後に以上の如き日本移民の民族的特徴は元來日本の社會生活の產物であるから、それから長く離れて居り、而も絕へず强烈なアメリカ社會の影響を受けてゐれば、その內容にも形式にも變化を來さざるを得ないであらうといふことを附加しておかねばならぬ。第二世の犯罪がその量に於て增加し、質に於て白人化する傾向があるといふことは正しくそれを示すものである（註二）。

註一 Hayner, Socia' fa tors in orie ntal crime, p. 911- 912

註二 Masnoka, the Japanese Family in Hawaii, Sociology and social Research, 1936 no. 2. p. 158.

(四) 扨て以上のやうに見て來ると、さきの「異れる民族」でも「同一環境」の下に於ては同樣なる犯罪現象を示すといふ命題に對して、我々は逆に、實は異れる民族は正にその民族的な相違の故に同一環境に在ることが頗る困難であるといふ命題を對置せしめなければならなくなる。然らば前の命題の志向した問題そのものも無意味に歸するのであるか。私はさうは思はない。おそらく問題の提出方法を少し變へさへすれば志向せられた問題は正しく表現されるであらう。各民族が歴史的に背負つてゐる民族性或ひは特殊なる社會的傳統に發動の餘地なからしめるやうな壓倒的な社會的事實があるかどうかと問ふことがそれである。而してこのことは肯定されなければならぬ。かかる壓倒的事實として我々は經濟恐慌並びに戰爭を揭げることができる。

曾てウイルマンスは犯罪と精神的缺陷との關係を論じた有名な著書の中に於て「秩序あり且繁榮せる經濟生活を營んでゐる國家に於ては犯罪者となるものは精神上の低格者だけである」けれども 經濟的恐慌の時代には、平時に於てならば正しく身を持したであらう人々までも正道から逸脱し犯罪に陷つて行く」と述べたことがある(註)、がこれは素質と環境の動的な關聯を喝破した名言といふべきである。だがこの經濟恐慌の齎らす悲劇を更に擴大して見せて呉れるものは戰爭、就中近代戰の現實である。近代戰のもつ怪物の如き消耗力は交戰國の資力を直ぐに枯渇せしめ、國民生活を極端に切下げさせ、屢々その動物的生存をすら脅かすに至るものであつて、中にも敗戰國民の辿る運命は悲慘の極である。だが人間の動物的生存までが危くされると、それまで多少とも人間關係に對して拘制力を發揮して來た傳統的な諸制約——道德、宗敎その他の社會的規範——は急激にその力を喪失して行き、親子の愛情にすら罅が入て來る。人々は自分の生活維持にのみ汲々として、隣人愛とか同胞間の相互扶助とかは段々色あせて行く。「衣食足つて禮節を知る」とか「腹が減つては戰さはできぬ」といつた社會心理は容易に「背に腹は代へられぬ」といふ氣持に發展するのである。そこで支配するものは動物的な弱肉强食即ち生存競走の原理である。かくて個人の行動に關して素質の演ずる役割は背後に引込み、平常の場合なら盜みや橫領など考へただけで身振ひしたやうな人々も容易に犯罪の世界に顚落して行く。一つの單位として見られた各民族の民族的性格についても同じことが見られるのである。我國が今次の戰爭に於て經驗し、又現に經驗しつつある刑事學的諸現象が、前大戰の敗戰國たる獨墺兩國に於ける經驗と、地理的には數千里時間的には二十數年を隔てながら、殆んどそつくり同じであるといふことは雄辯にそれを物語るものといふべきであらう。

註　Wilmanns, Die sog. verminderte Zurechnungsfähigkeit, 1927, S. 53.

結局、我々の問題にあつても亦何よりも、まづ最低限度の衣食住の保障が、從つて又そのやうな保障を可能ならしむる如き經濟生活の建設が要求せられてゐる譯である。

(日本出版協會會員番號Ａ一三五〇〇七號)

戰爭と犯罪社會學

昭和廿一年十月五日印刷
昭和廿一年十月六日發行

著作者　佐伯千仭

東京都神田區神保町二ノ一七
發行者　江草四郎

京都市中京區錦小路西洞院西入
印刷者　錦印刷所
小林佐治郎

東京都神田區神保町二丁目十七番地
發行所　書肆　有斐閣
本郷支店　東京都本郷區森川町七十九
京都支店　京都市左京區北白川追分町10

東京都神田區淡路町二丁目九番地
配給元　日本出版配給株式會社

戦争と犯罪社会学
―現前の犯罪現象に寄せて― (オンデマンド版)

2012年12月15日　発行

著　者　　佐伯　千仭
発行者　　江草　貞治
発行所　　株式会社 有斐閣
〒101-0051　東京都千代田区神田神保町2-17
TEL　03(3264)1314(編集)　03(3265)6811(営業)
URL　http://www.yuhikaku.co.jp/

印刷・製本　　株式会社 デジタルパブリッシングサービス
URL　http://www.d-pub.co.jp/

AG319

ISBN4-641-90846-X　Printed in Japan